하 루 10분 서술형/문장제 학습지

씨투엠

수학 독해

S1 9까지의 수
5세~7세

씨투엠

수학독해 : 수학을 스스로 읽고 해결하다

객관식이나 간단한 단답형 문제는 자신 있는데 긴 문장이나 풀이 과정을 쓰라는 문제는 어려워하는 아이들이 있어요. 빠르고 정확하게 연산하고 교과 응용문제까지도 곧잘 풀어내지만, 문제 속 상황이 약간만 복잡해지면 문제를 풀려고도 하지 않는 아이들도 많아요. 이러한 아이들에게 부족한 것은 연산 능력이나 문제 해결력보다는 독해력과 표현력입니다. 특히 수학적 텍스트를 이해하고 표현하는 능력, 즉 수학 독해력이지요.

요즘 아이들의 독해력이 약해진 가장 큰 이유는 과거에 비해 이야기를 만나는 방식이 다양해졌기 때문이에요. 예전에는 대부분 말이나 글로써만 이야기를 접했어요. 텍스트 위주로 여러 가지 사건을 간접 체험하고, 머릿 속으로 상황을 그려내는 훈련이 자연스럽게 이루어졌지요. 반면 요즘 아이들은 글보다도 TV나 스마트폰 등 영상매체에 훨씬 빨리, 자주 노출되기에 글을 통해 상상을 할 필요가 점점 없어지게 되었습니다.

그렇다고 아이들에게 어렸을 때부터 영화나 애니메이션을 못 보게 하고 책만 읽게 하는 것은 바람직하지 않고, 가능하지도 않아요. 시각 매체는 그 자체로 많은 장점이 있기 때문에 지금의 아이들은 예전 세대에 비해 이미지에 대한 이해력과 적용력이 매우 뛰어나답니다. 문제는 아직까지 모든 학습과 평가 방식이 여전히 텍스트 위주이기 때문에 지금도 아이들에게 독해력이 중요하다는 점이에요. 그래서 저희는 영상 매체에는 익숙하지만 말이나 글에는 약한 아이들을 위한 새로운 수학 독해력 향상 프로그램인 씨투엠 수학독해를 기획하게 되었어요.

씨투엠 수학독해는 기존 문장제/서술형 교재들보다 더욱 쉽고 간단한 학습법을 보여주려 해요. 문제에 있는 문장과 표현 하나하나마다 따로 접근하여 아이들이 어려워하는 포인트를 찾고, 각 포인트마다 직관적인 활동을 통해 독해력과 표현력을 차근차근 끌어올리려고 합니다. 또한 문제 이해와 풀이 서술 과정을 단계별로 세세하게 나누어 문장제, 서술형 문제를 부담 없이 체계적으로 연습할 수 있어요. 새로운 문장제 학습법인 씨투엠 수학독해가 문장제 문제에 특히 어려움을 겪고 있거나 앞으로 서술형 문제를 좀 더 잘 대비하고 싶은 아이들에게 큰 도움이 될 것이라 자신합니다.

씨투엠

수학독해의 구성과 특징

- 매일 부담없이 2쪽씩, 하루 10분 문장제 학습
- 매주 5일간 단계별 활동, 6일차는 중요 문장제 확인학습
- 5회분의 진단평가로 테스트 및 복습

주차별 구성

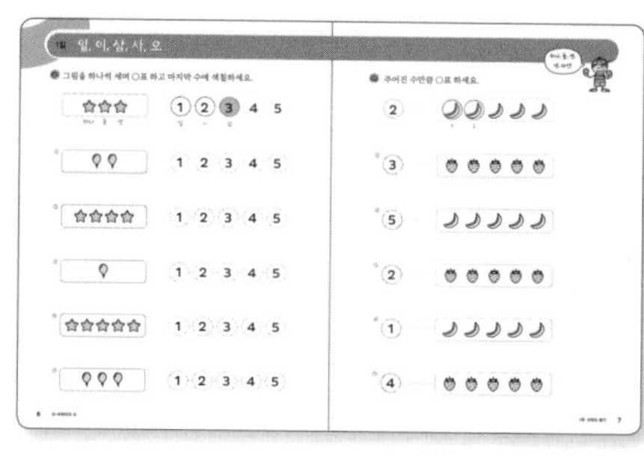

일일학습

꼬마 수학자들의 간단한 팁과 함께 매일 새롭게 만나는 단계별 문장제 활동

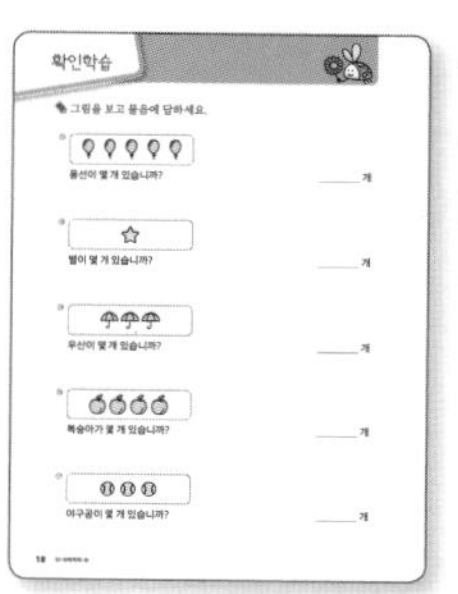

확인학습

중요 문장제 활동을 다시 한번 확인하며 주차 학습 마무리

	1일	2일	3일	4일	5일	확인학습
1주차	6쪽 ~ 7쪽	8쪽 ~ 9쪽	10쪽 ~ 11쪽	12쪽 ~ 13쪽	14쪽 ~ 15쪽	16쪽 ~ 18쪽
2주차	20쪽 ~ 21쪽	22쪽 ~ 23쪽	24쪽 ~ 25쪽	26쪽 ~ 27쪽	28쪽 ~ 29쪽	30쪽 ~ 32쪽
3주차	34쪽 ~ 35쪽	36쪽 ~ 37쪽	38쪽 ~ 39쪽	40쪽 ~ 41쪽	42쪽 ~ 43쪽	44쪽 ~ 46쪽
4주차	48쪽 ~ 49쪽	50쪽 ~ 51쪽	52쪽 ~ 53쪽	54쪽 ~ 55쪽	56쪽 ~ 57쪽	58쪽 ~ 60쪽

진단평가 구성

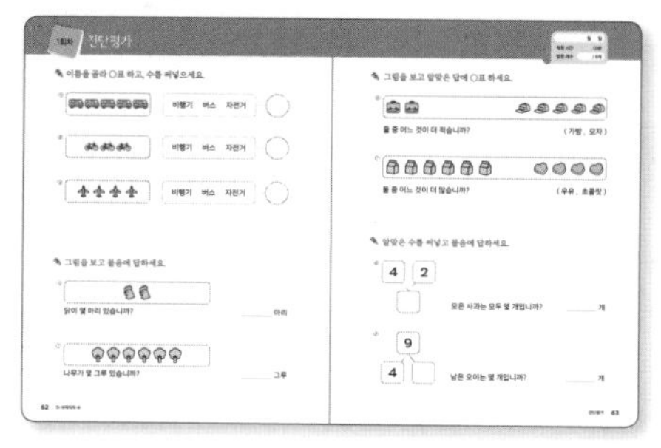

진단평가

4주 간의 문장제 학습에서 부족한 부분을 확인하고 복습하기 위한 자가 진단 테스트

	1회	2회	3회	4회	5회
진단평가	62쪽 ~ 63쪽	64쪽 ~ 65쪽	66쪽 ~ 67쪽	68쪽 ~ 69쪽	70쪽 ~ 71쪽

이 책의 차례

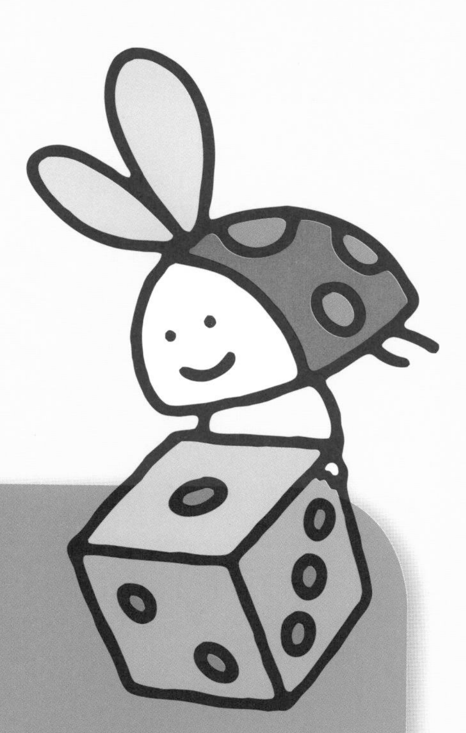

1주차

5까지 세기

1일 일, 이, 삼, 사, 오

그림을 하나씩 세며 ○표 하고 마지막 수에 색칠하세요.

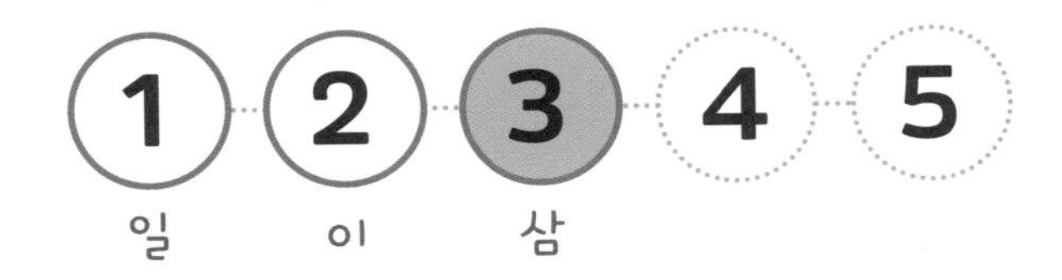

①

②

③

④

⑤

주어진 수만큼 ○표 하세요.

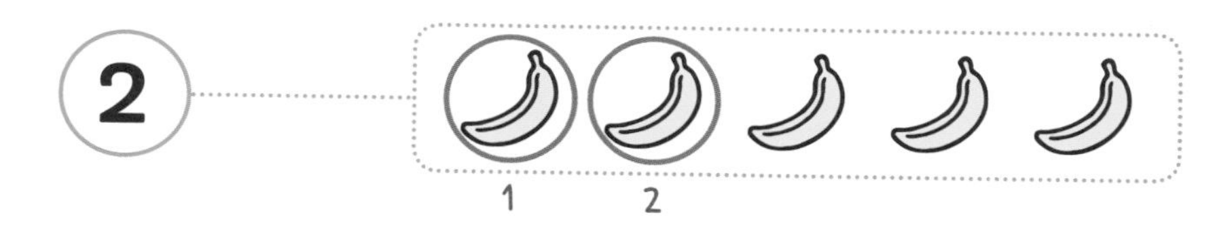

①

②

③

④

⑤

2일 무엇이 몇

이름과 그림, 수를 알맞게 이어 보세요.

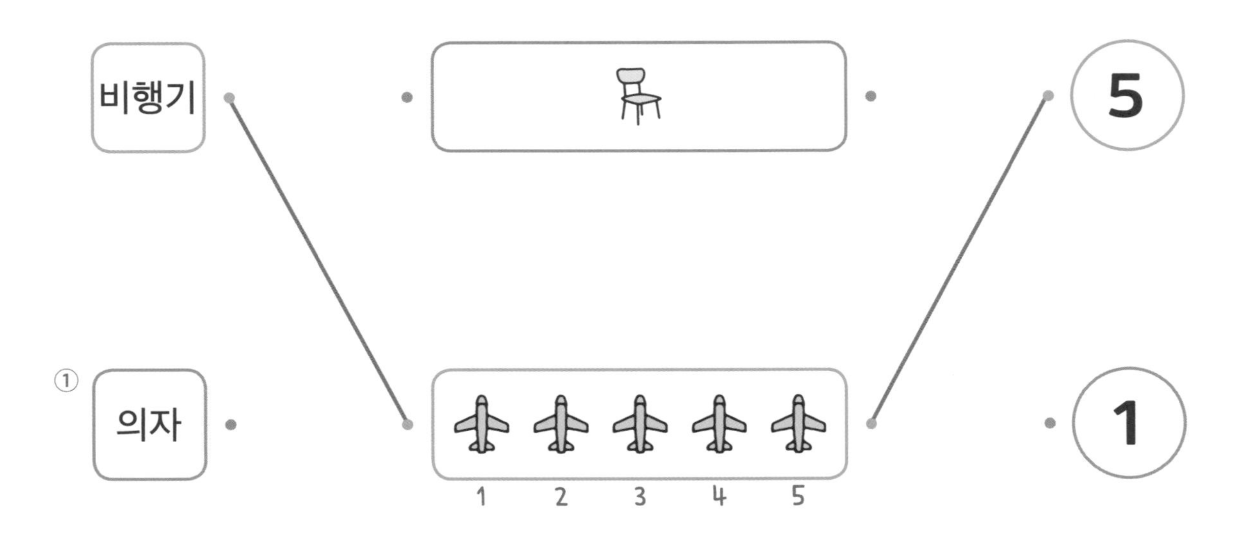

① 의자 · · · 1

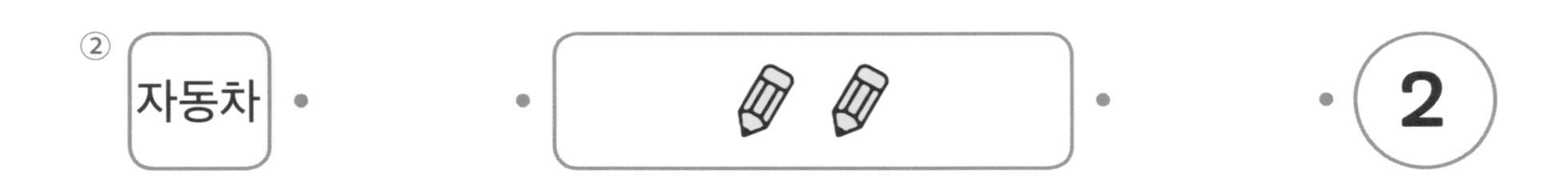

② 자동차 · · · 2

③ 연필 · · · 4

④ 당근 · · · 3

이름을 찾아 ○표 하고, 수를 써넣으세요.

사과 바나나 (딸기) — 4

① 

사과 바나나 딸기 — ○

② 

사과 바나나 딸기 — ○

③ 

강아지 토끼 고양이 — ○

④ 

강아지 토끼 고양이 — ○

⑤ 

강아지 토끼 고양이 — ○

3일 몇 개

알맞게 잇고 개수만큼 색칠해 보세요.

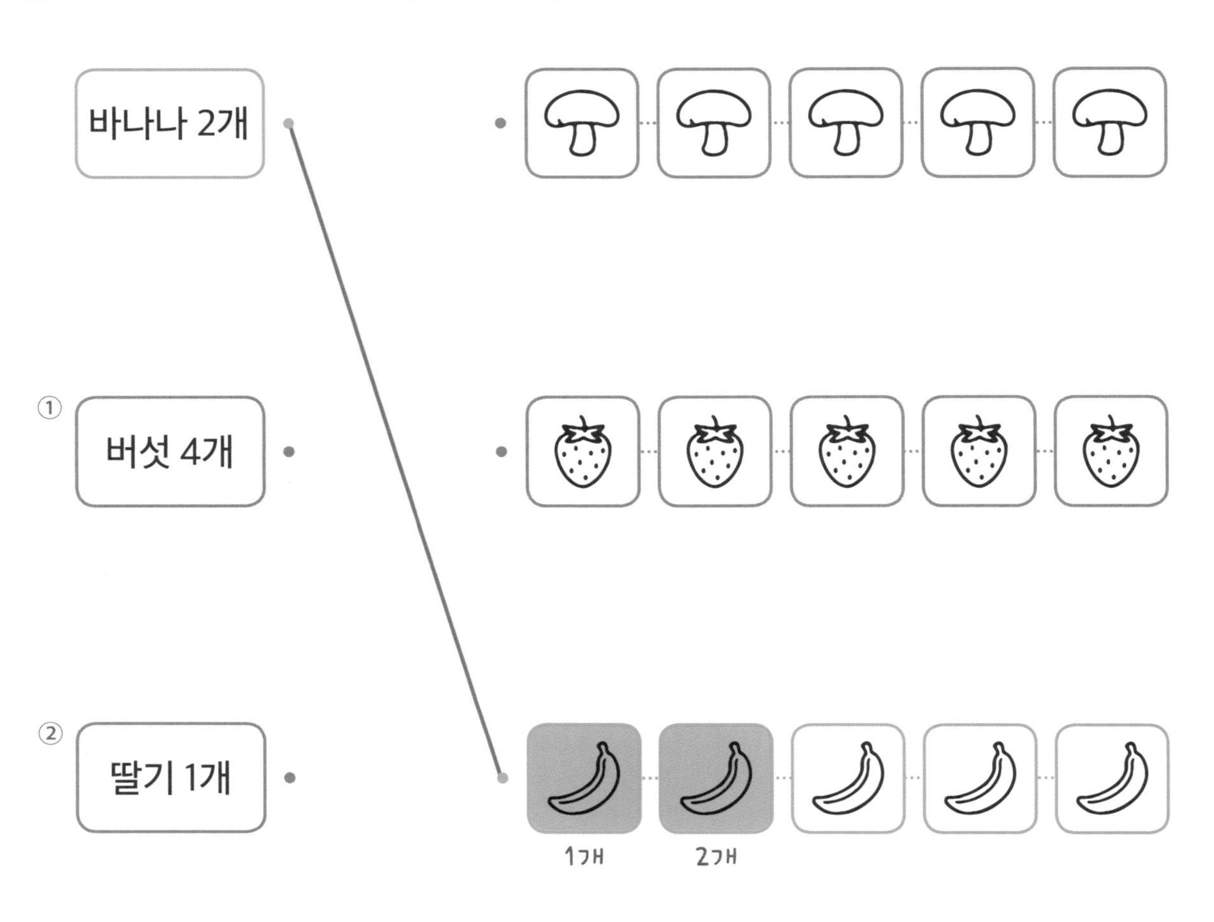

③ 당근 3개

④ 사과 5개

아래로 내려가며 몇 개인지 세어 보세요.

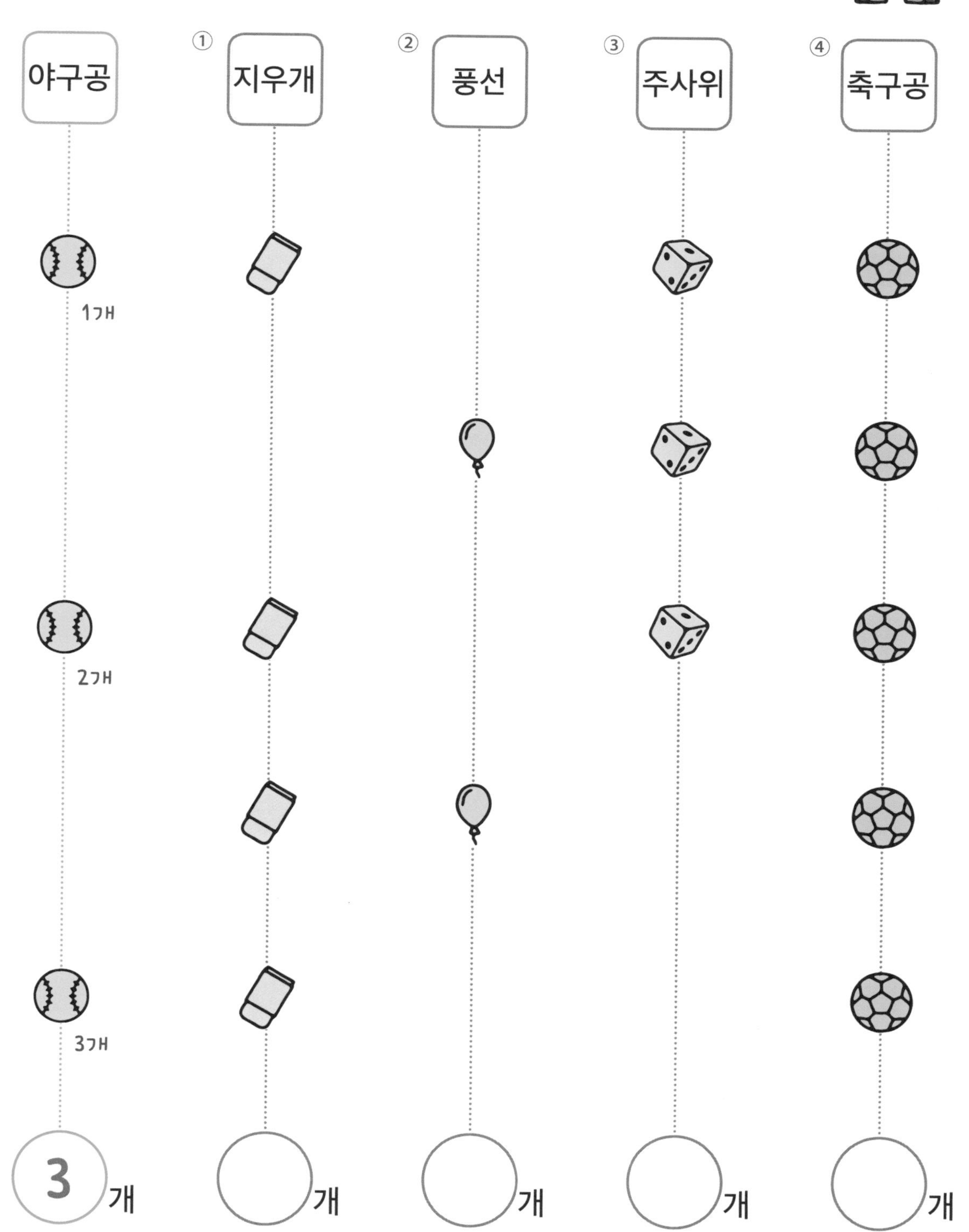

4일 몇 개 있습니다

알맞은 말에 ○표 하세요.

(지우개가 , 주사위가) 5개 있습니다.

①

(딸기가 , 사과가) 3개 있습니다.

②

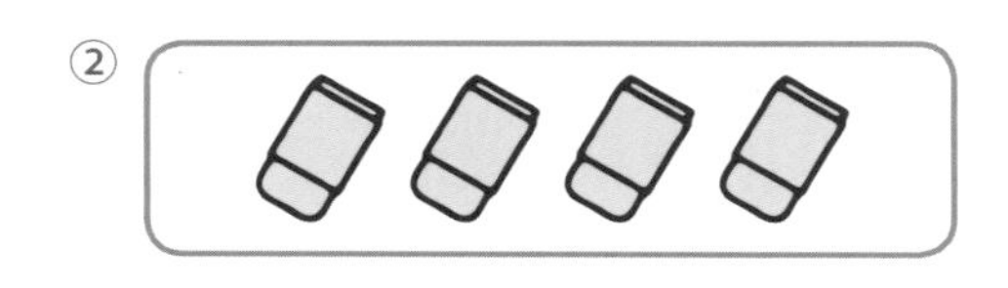

(풍선이 , 지우개가) 4개 있습니다.

③

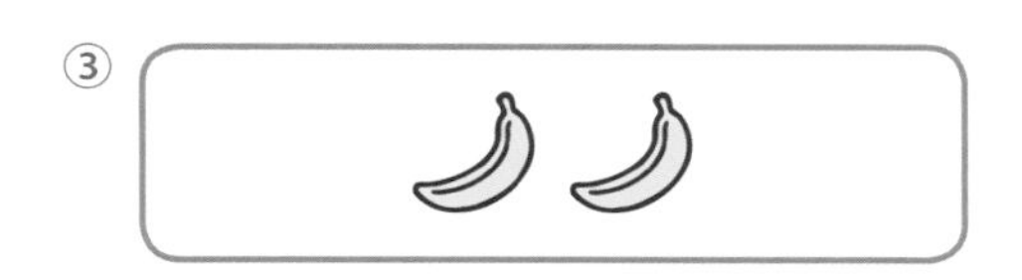

(딸기가 , 바나나가) 2개 있습니다.

④

(풍선이 , 주사위가) 1개 있습니다.

⑤

(사과가 , 바나나가) 4개 있습니다.

밑줄친 곳에 알맞은 수를 써넣으세요.

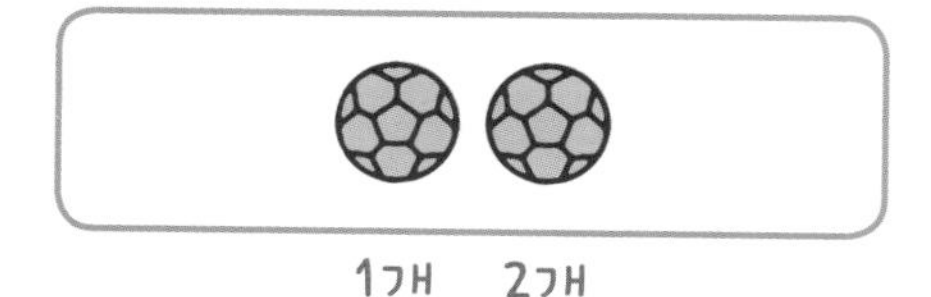

축구공이 2 개 있습니다.

①

별이 ______ 개 있습니다.

②
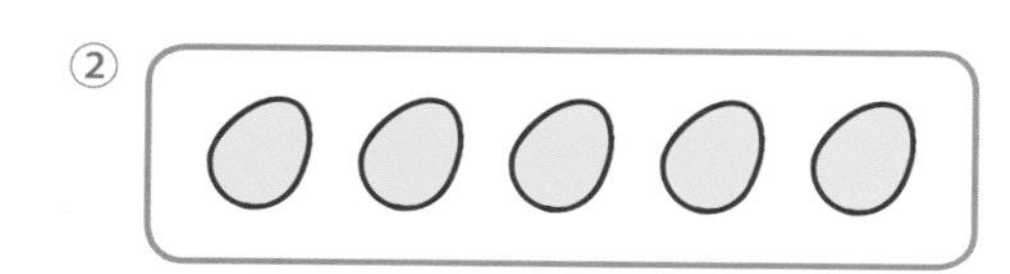

달걀이 ______ 개 있습니다.

③
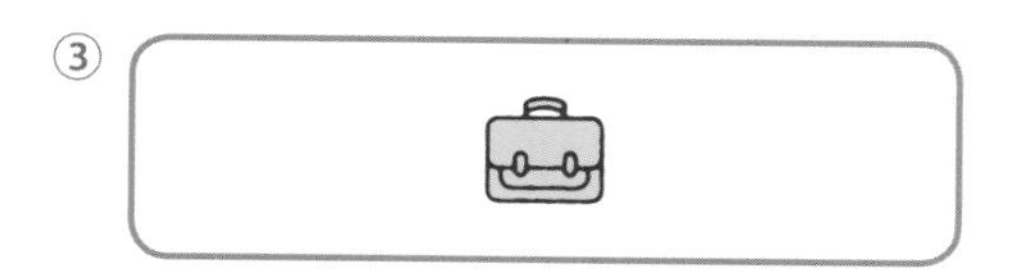

가방이 ______ 개 있습니다.

④
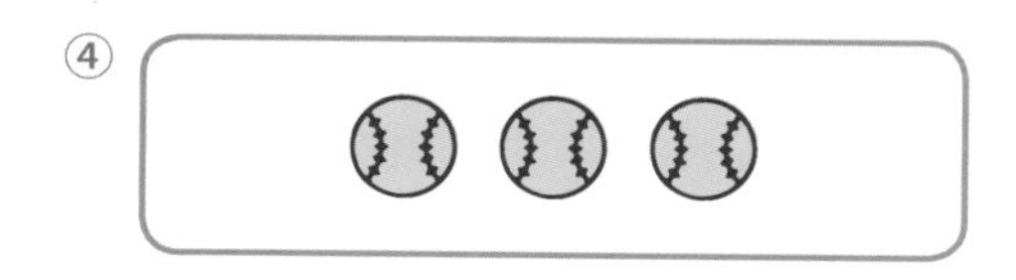

야구공이 ______ 개 있습니다.

⑤

우산이 ______ 개 있습니다.

5일 몇 개 있습니까

❀ 그림을 보고 올바른 말에 ○표, 잘못된 말에 ×표 하세요.

그림을 보고 물음에 답하세요.

가방이 몇 개 있습니까? 1 개

① 모자가 몇 개 있습니까? ______ 개

② 딸기가 몇 개 있습니까? ______ 개

③ 별이 몇 개 있습니까? ______ 개

④ 초콜릿이 몇 개 있습니까? ______ 개

확인학습

이름을 찾아 ○표 하고, 수를 써넣으세요.

알맞게 잇고 개수만큼 색칠해 보세요.

✎ 알맞은 말에 ○표 하세요.

⑦ 

(구슬이 , 풍선이) 2개 있습니다.

⑧ 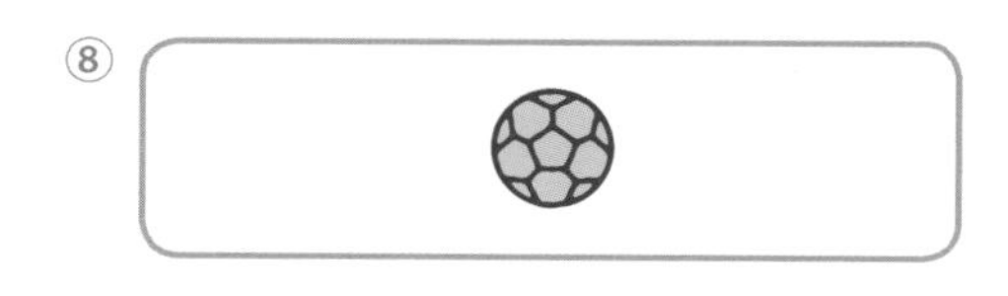

(야구공이 , 축구공이) 1개 있습니다.

⑨ 

(주사위가 , 가방이) 4개 있습니다.

✎ 그림을 보고 올바른 말에 ○표, 잘못된 말에 ×표 하세요.

⑩ 

⑪ 가방이 4개 있습니다.

⑫ 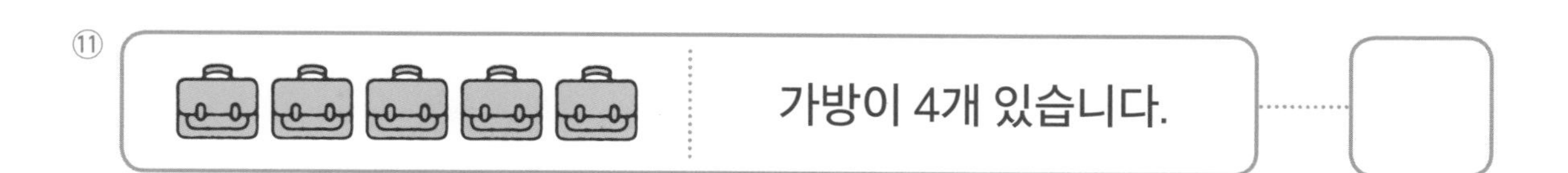

확인학습

그림을 보고 물음에 답하세요.

⑬

풍선이 몇 개 있습니까? ______ 개

⑭

별이 몇 개 있습니까? ______ 개

⑮

우산이 몇 개 있습니까? ______ 개

⑯

복숭아가 몇 개 있습니까? ______ 개

⑰

야구공이 몇 개 있습니까? ______ 개

2주차

9까지 세기

5보다 많은 수

주어진 수만큼 ○표 하세요.

①
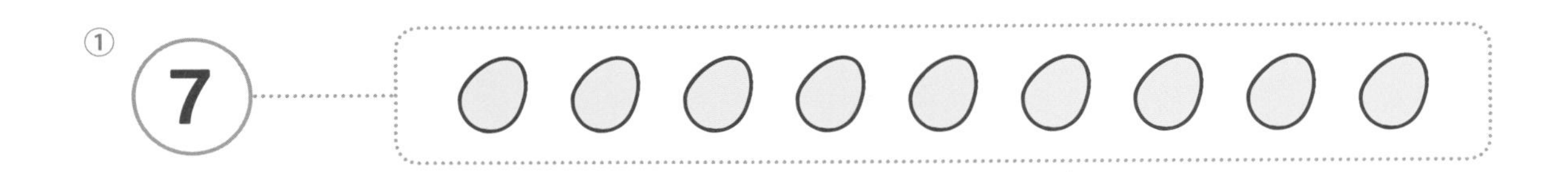

②

③
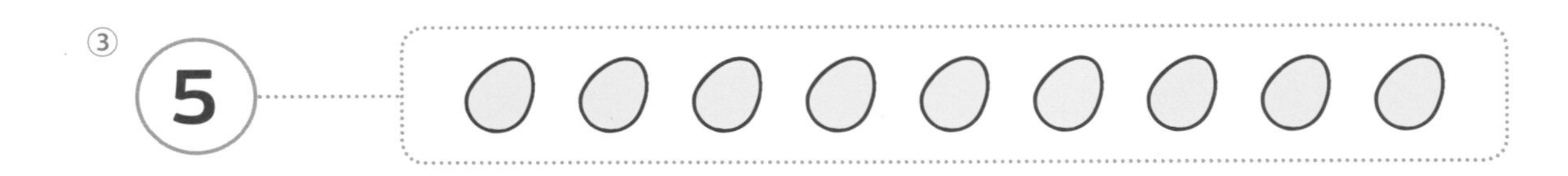

④

⑤ 6

개수를 세어 보세요.

①

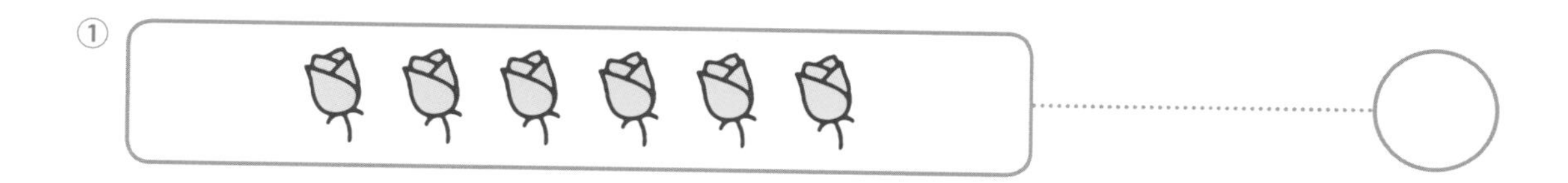

②

③

④

⑤

알맞게 이어 보세요.

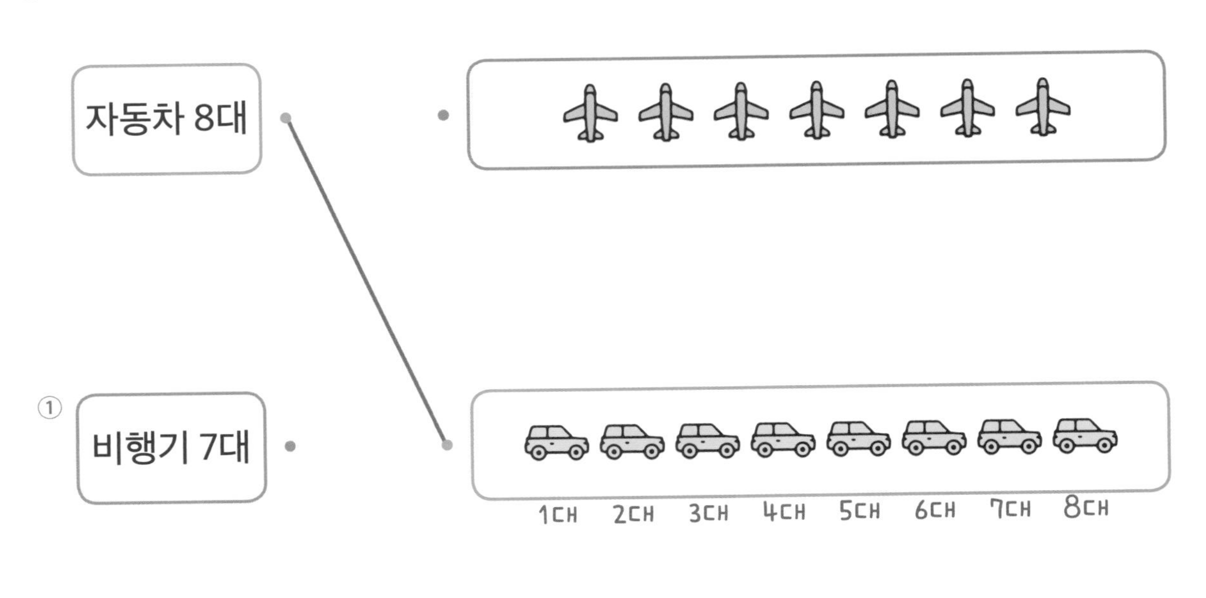

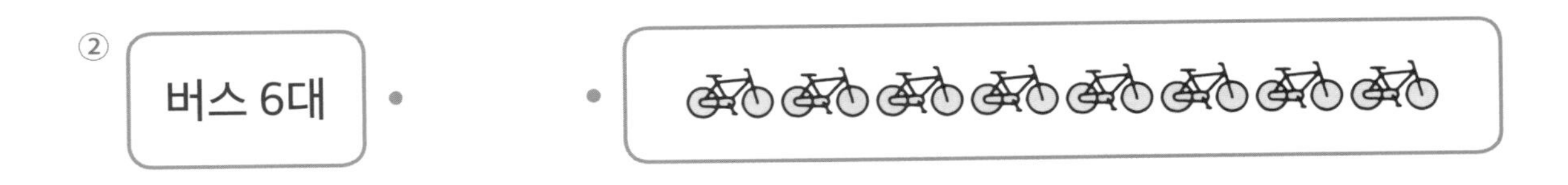

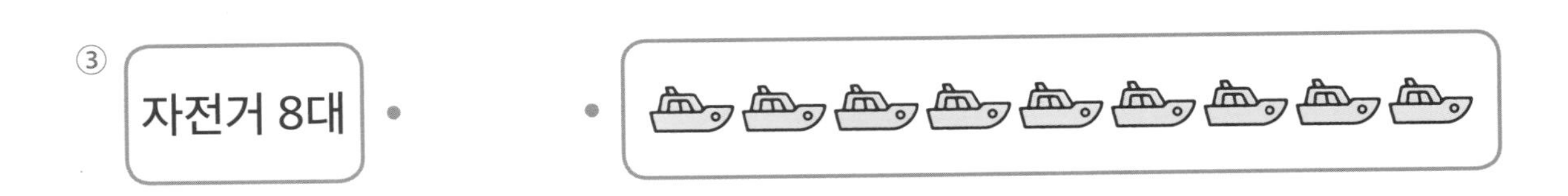

④ 배 9척

탈 것은 몇 대,
배는 몇 척, 동물은
몇 마리라고 해.

동물이 몇 마리인지 세어 보세요.

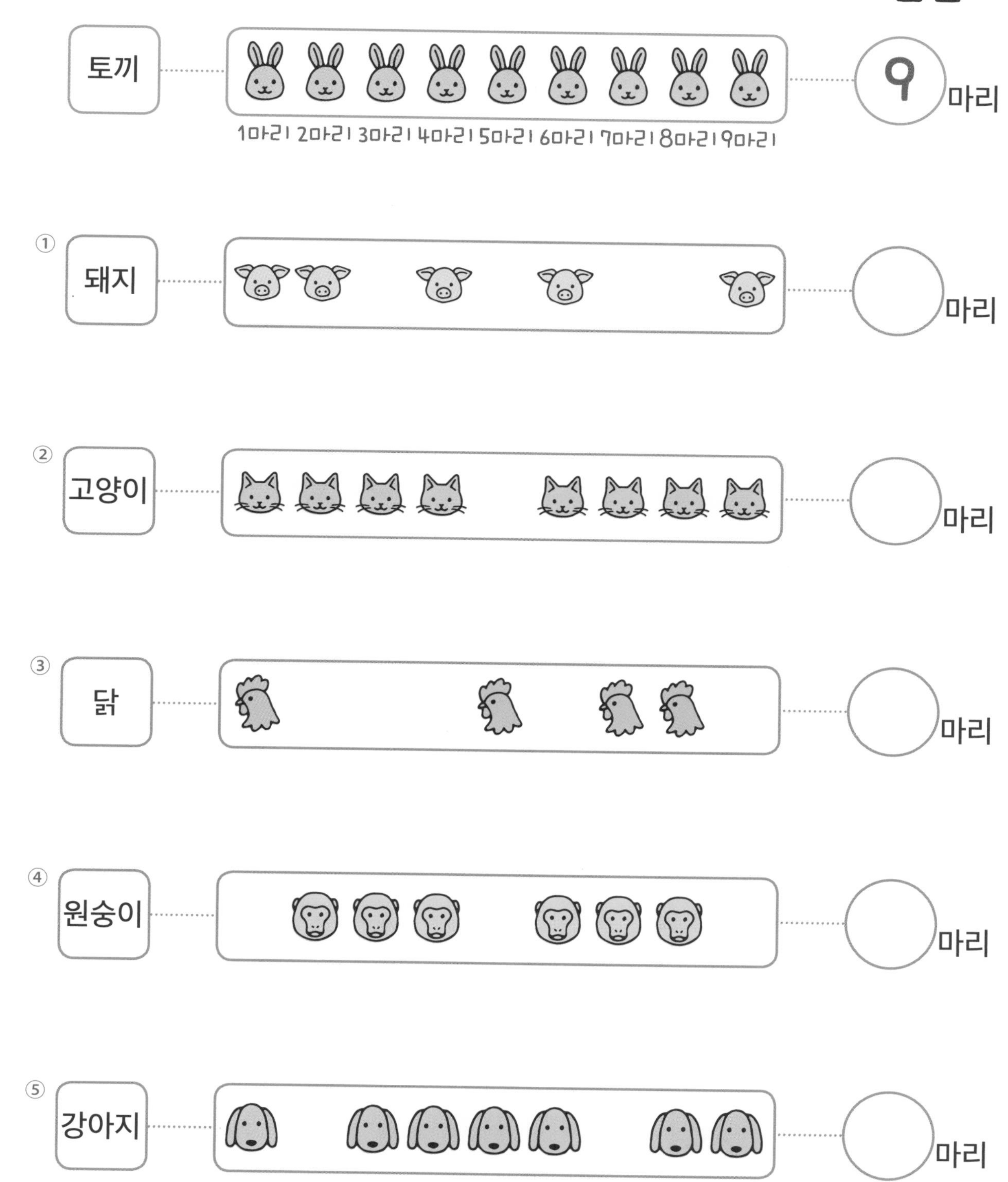

3일 여러 가지 단위

주어진 수만큼 ○표 하세요.

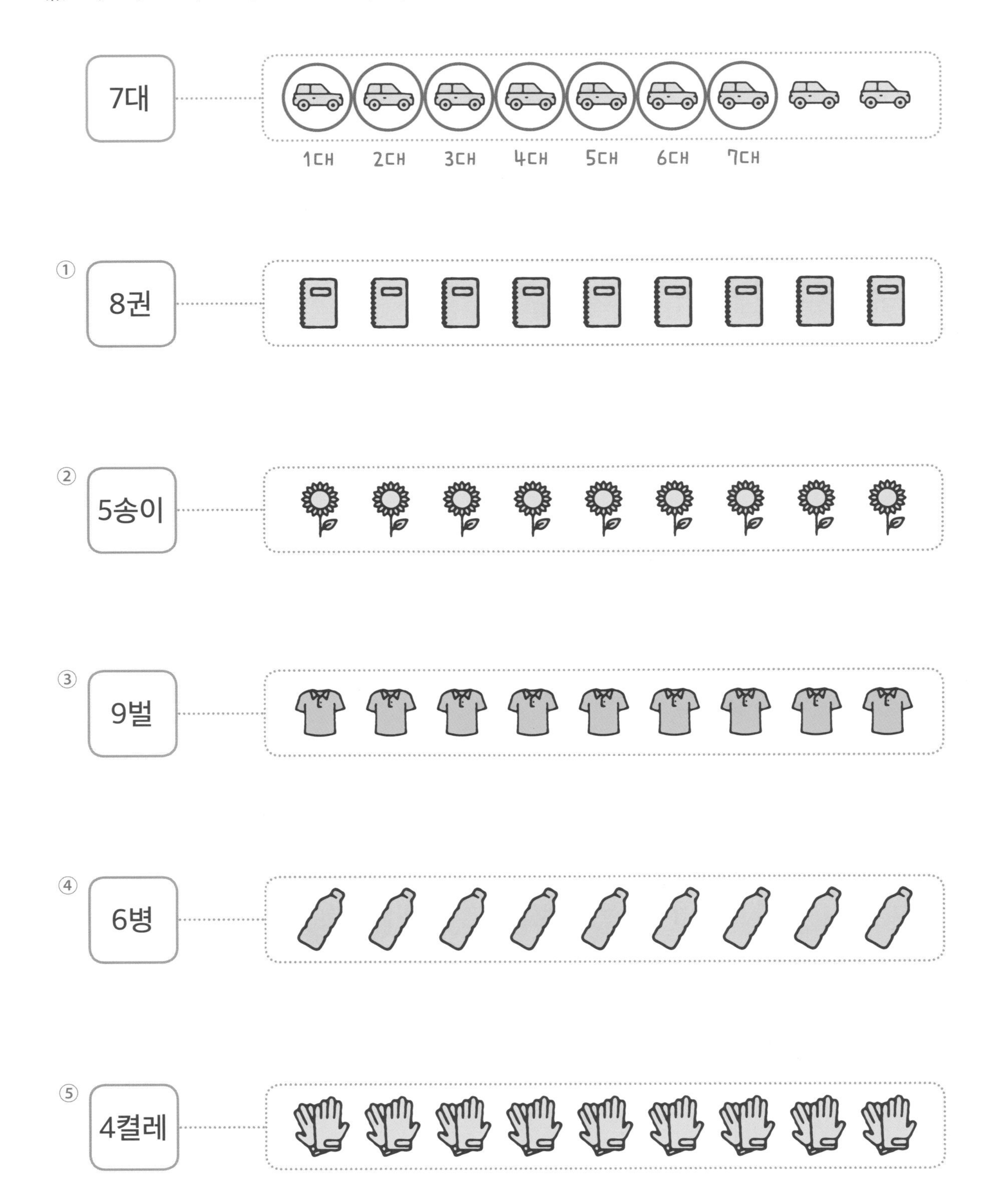

개수를 나타내는 말은 송이, 권, 벌, 잔, 병, 켤레 등이 있어.

그림과 개수를 나타내는 말을 알맞게 이어 보세요.

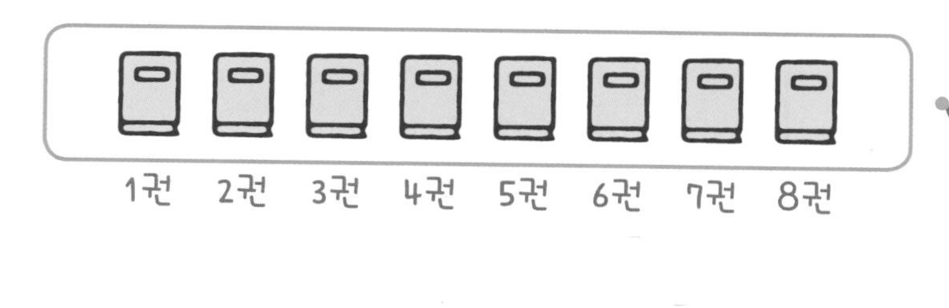

①

②

③

④

⑤

6송이

7마리

8권

6벌

7잔

8그루

4일 몇 있습니다

문장이 되도록 알맞게 이어 보세요.

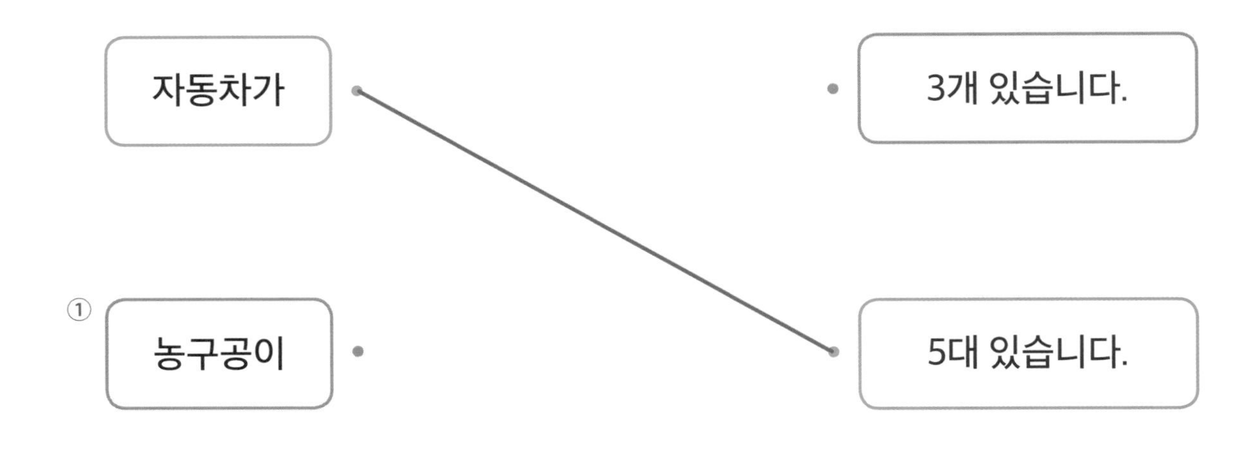

	왼쪽	오른쪽
	자동차가	3개 있습니다.
①	농구공이	5대 있습니다.
②	은행나무가	4마리 있습니다.
③	참새가	8벌 있습니다.
④	티셔츠가	1그루 있습니다.
⑤	우유가	6잔 있습니다.

알맞지 않은
단위를 쓰면 말이
되지 않아.

알맞은 말에 ○표 하세요.

운동화가 (3켤레, 3마리, 3그루) 있습니다.

① 음료수가 (8송이, 8권, 8병) 있습니다.

② 감자가 (6대, 6개, 6켤레) 있습니다.

③ 소나무가 (7마리, 7그루, 7송이) 있습니다.

④ 여우가 (5마리, 5개, 5권) 있습니다.

⑤ 동화책이 (2송이, 2병, 2권) 있습니다.

5일 몇 있습니까

올바른 말에 ○표, 잘못된 말에 ×표 하세요.

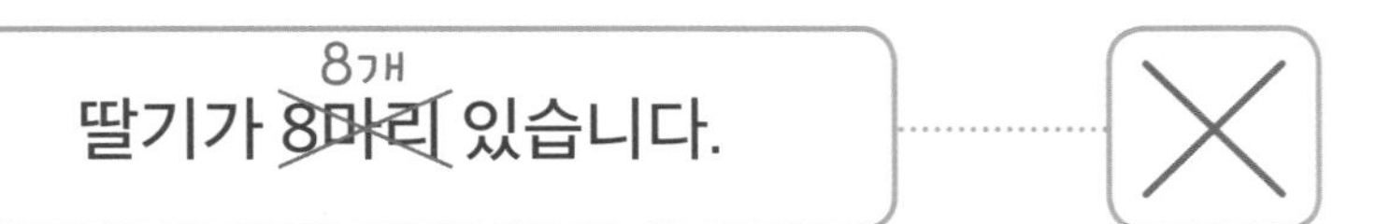

8개
딸기가 8마리 있습니다.

①
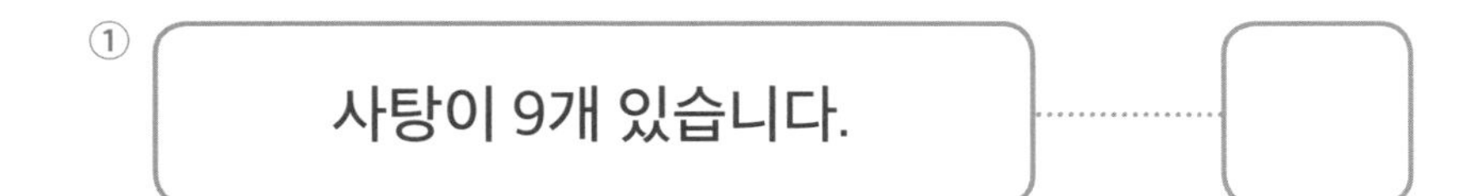

사탕이 9개 있습니다.

② 양말이 3켤레 있습니다.

③ 공책이 4마리 있습니다.

④ 반달곰이 7대 있습니다.

⑤ 얼음물이 5잔 있습니다.

그림을 보고 물음에 답하세요.

돼지가 몇 마리 있습니까? 7 마리

①

책이 몇 권 있습니까? ______ 권

②

자전거가 몇 대 있습니까? ______ 대

③

바지가 몇 벌 있습니까? ______ 벌

④

머핀이 몇 개 있습니까? ______ 개

확인학습

주어진 수만큼 ○표 하세요.

① 6척

② 8그루

③ 5벌

문장이 되도록 알맞게 이어 보세요.

④ 물이		9마리 있습니다.
⑤ 복숭아가		6개 있습니다.
⑥ 토끼가		4잔 있습니다.

알맞은 말에 ○표 하세요.

⑦ 햄스터가 (5마리 , 5잔 , 5그루) 있습니다.

⑧ 장미가 (7권 , 7송이 , 7켤레) 있습니다.

⑨ 자전거가 (2마리 , 2대 , 2벌) 있습니다.

올바른 말에 ○표, 잘못된 말에 ×표 하세요.

⑩ 강아지가 2권 있습니다. ☐

⑪ 우유가 8대 있습니다. ☐

⑫ 참나무가 5그루 있습니다. ☐

확인학습

그림을 보고 물음에 답하세요.

⑬

초콜릿이 몇 개 있습니다까? ______ 개

⑭

셔츠가 몇 벌 있습니까? ______ 벌

⑮

해바라기가 몇 송이 있습니까? ______ 송이

⑯

신발이 몇 켤레 있습니까? ______ 켤레

⑰

자동차가 몇 대 있습니까? ______ 대

3주차

개수 비교

1일 많은 것과 적은 것

개수를 비교하여 더 많은 것에 ○표 하세요.

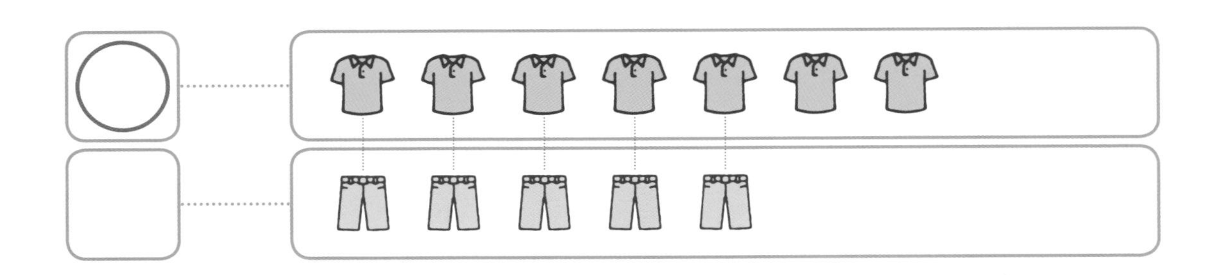

①

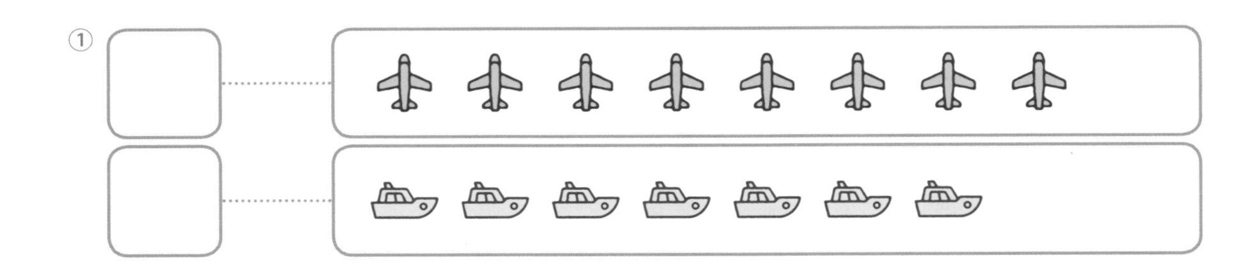

②

③

개수를 비교하여 더 적은 것에 △표 하세요.

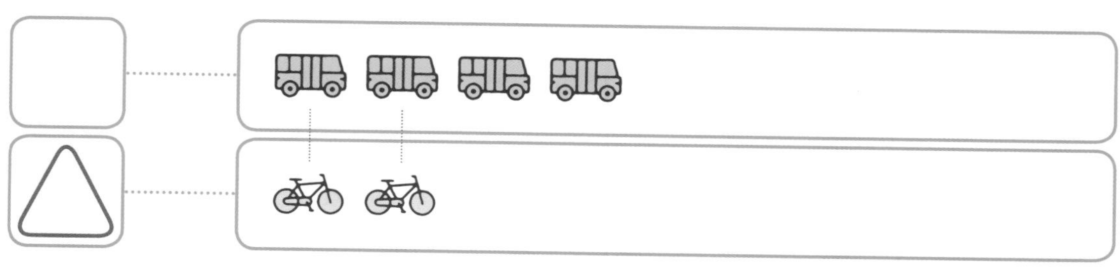

①

②

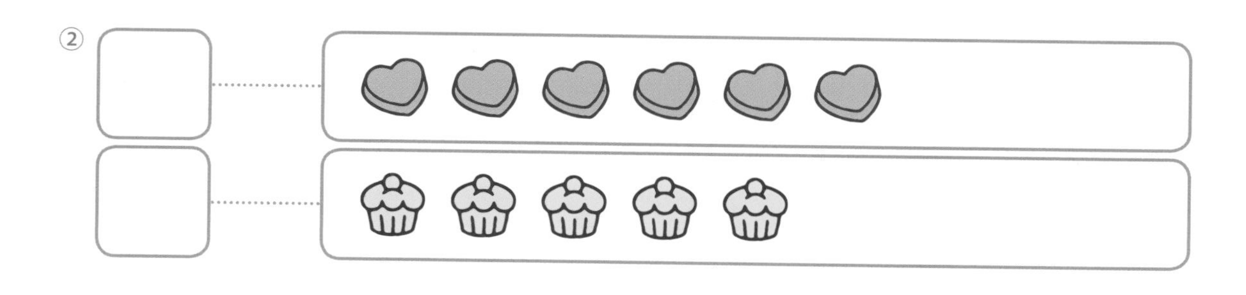

③

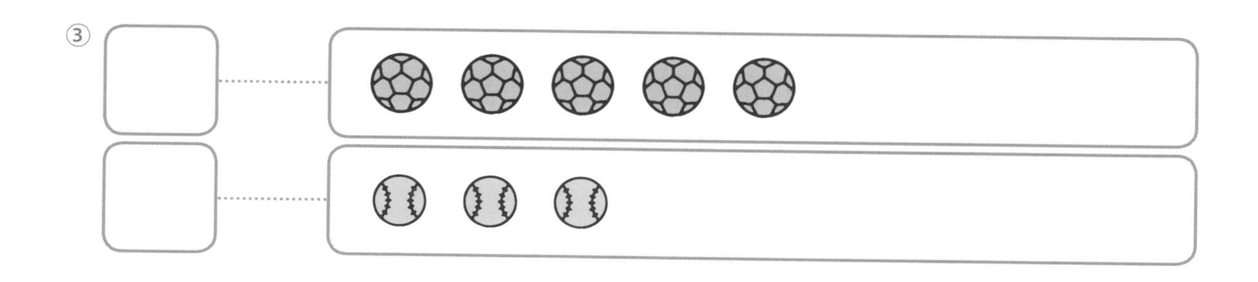

2일 큰 수와 작은 수

개수를 세어 써넣고, 더 큰 수에 색칠하세요.

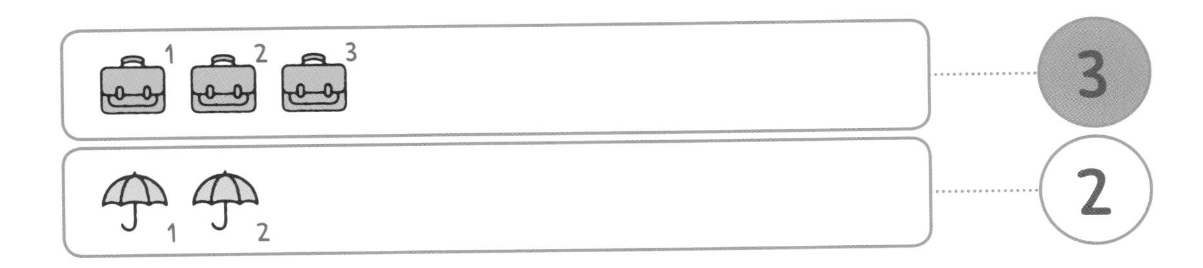

①
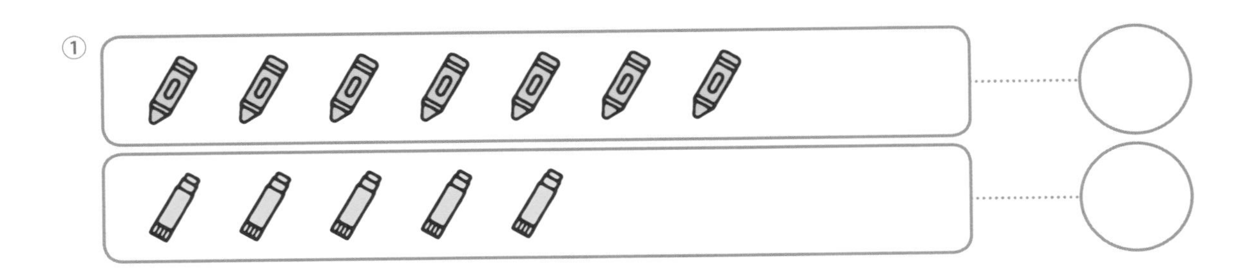

②
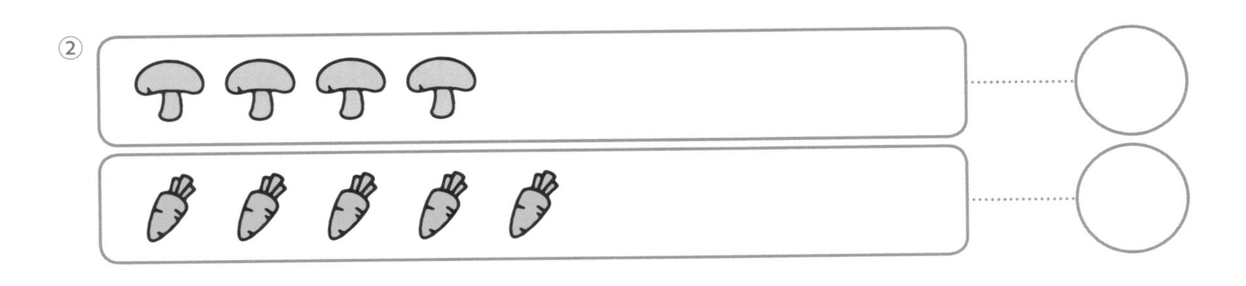

③

개수를 세어 써넣고, 더 작은 수에 색칠하세요.

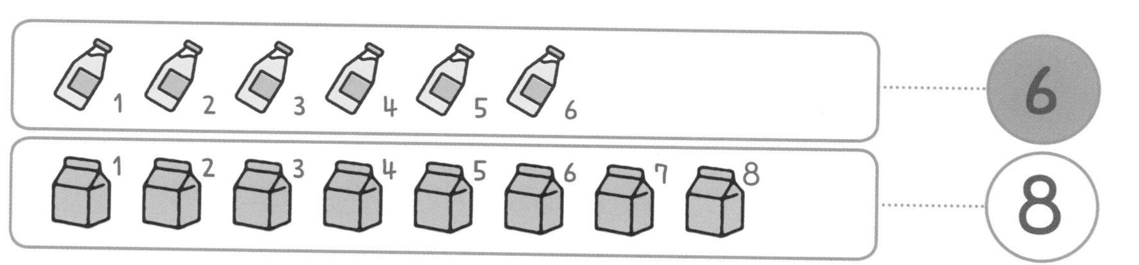

①

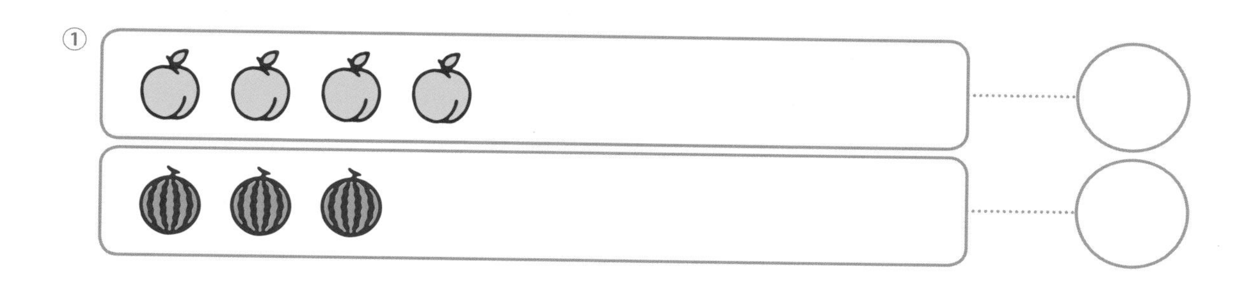

②

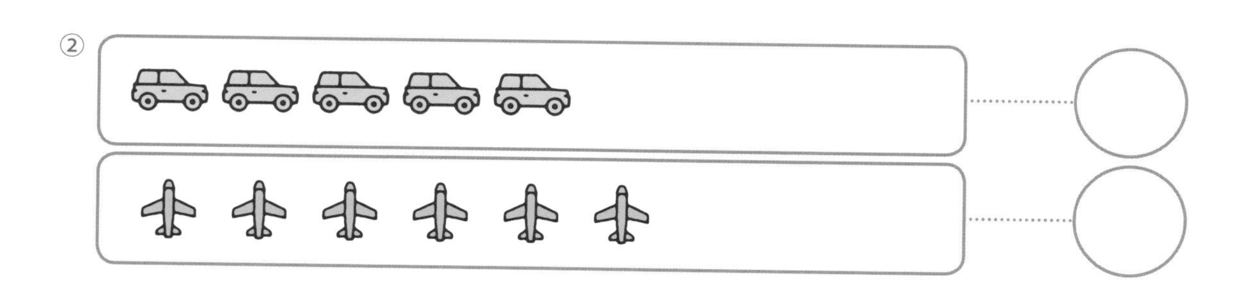

③

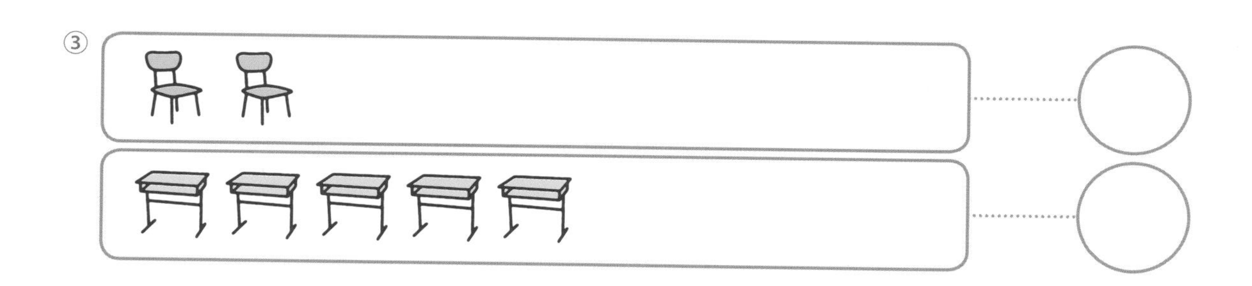

3일 수의 크기 비교

알맞은 말에 ○표 하세요.

5는 3보다 더 (큽니다 , 작습니다).

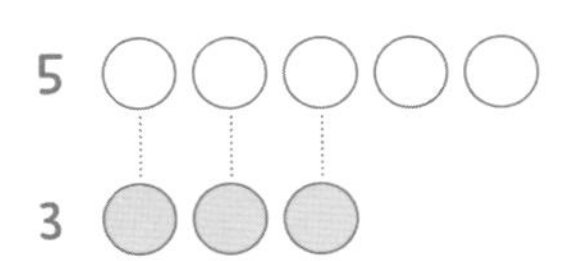

① 7은 6보다 더 (큽니다 , 작습니다).

② 4는 9보다 더 (큽니다 , 작습니다).

③ 2는 3보다 더 (큽니다 , 작습니다).

④ 8은 6보다 더 (큽니다 , 작습니다).

⑤ 1은 2보다 더 (큽니다 , 작습니다).

수는 1, 2, 3, 4, 5,
6, 7, 8, 9의 순서로
점점 커지지.

왼쪽의 두 수를 밑줄친 곳에 알맞게 써넣으세요.

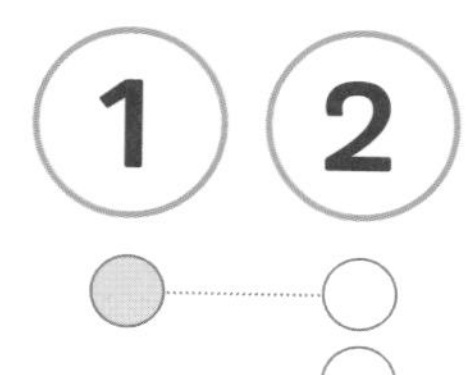

2 는 1 보다 더 큽니다.

① 

______ 는 ______ 보다 더 작습니다.

② 

______ 는 ______ 보다 더 큽니다.

③ 

______ 은 ______ 보다 더 작습니다.

④ 

______ 는 ______ 보다 더 큽니다.

⑤ 

______ 는 ______ 보다 더 작습니다.

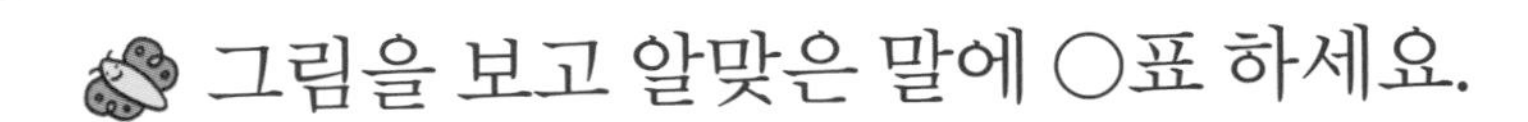

4일 많습니다, 적습니다

그림을 보고 알맞은 말에 ○표 하세요.

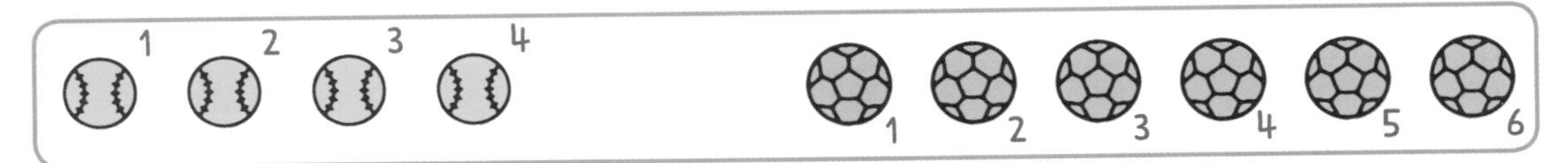

야구공은 축구공보다 더 (많습니다 , 적습니다).

① 

공책은 연필보다 더 (많습니다 , 적습니다).

② 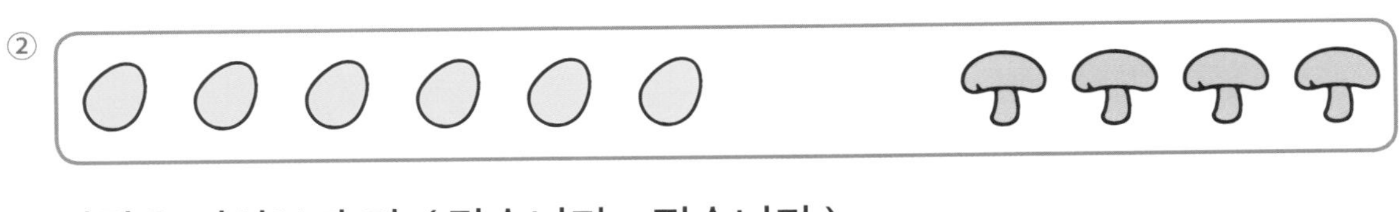

달걀은 버섯보다 더 (많습니다 , 적습니다).

③ 

모자는 우산보다 더 (많습니다 , 적습니다).

개수를 세면
더 큰 수인 것이
더 많은 것이야.

그림을 보고 알맞은 말에 모두 ○표 하세요.

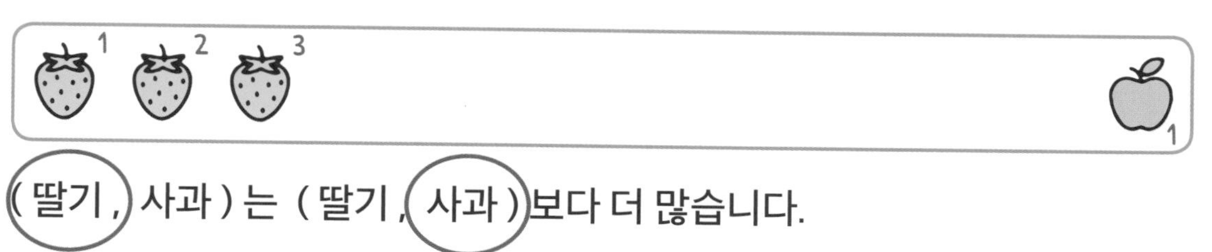

(딸기 , 사과) 는 (딸기 , 사과) 보다 더 많습니다.

①

(주사위 , 지우개) 는 (주사위 , 지우개) 보다 더 적습니다.

②

(원숭이 , 토끼) 는 (원숭이 , 토끼) 보다 더 많습니다.

③

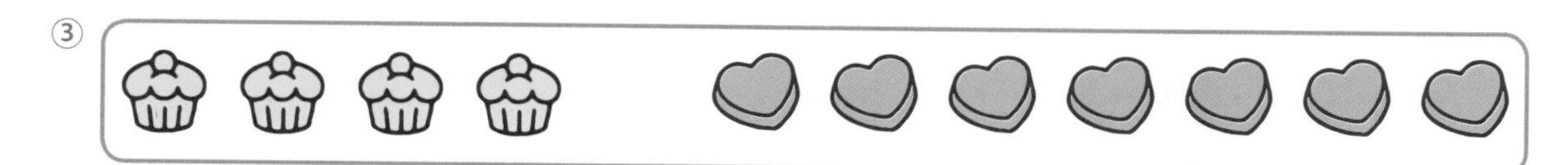

(머핀 , 초콜릿) 은 (머핀 , 초콜릿) 보다 더 적습니다.

5일 어느 것이 더 많습니까

그림을 보고 알맞은 답에 ○표 하세요.

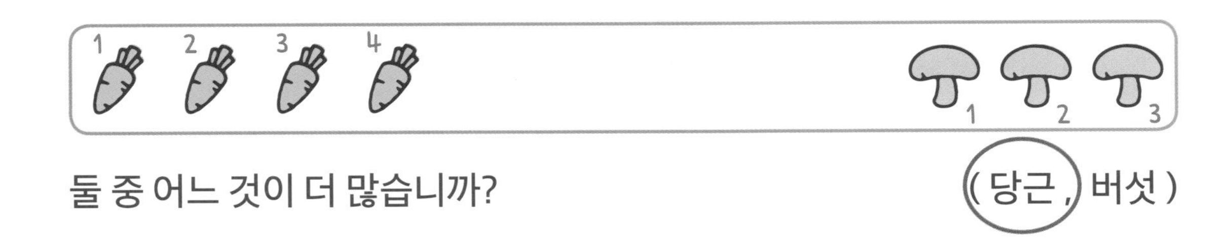

둘 중 어느 것이 더 많습니까? (당근 , 버섯)

①

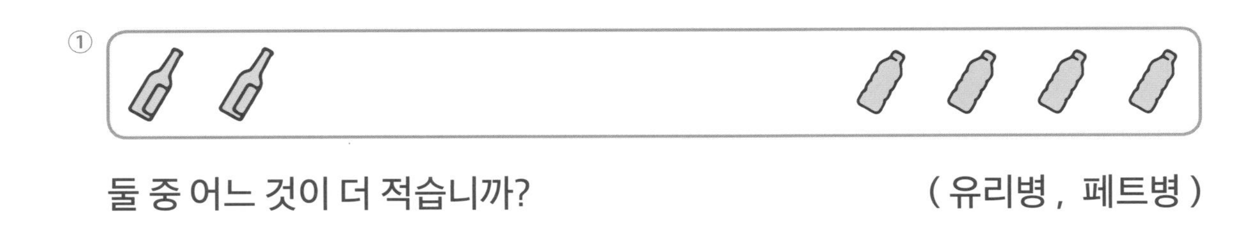

둘 중 어느 것이 더 적습니까? (유리병 , 페트병)

②

둘 중 어느 것이 더 많습니까? (바지 , 티셔츠)

③

둘 중 어느 것이 더 적습니까? (강아지 , 원숭이)

많은 것을 묻는지
적은 것을 묻는지
잘 따져야 해.

문제를 읽고 알맞은 답에 ○표 하세요.

바나나가 3개 있습니다. 토마토가 6개 있습니다.

둘 중 어느 것이 더 적습니까?

(바나나 , 토마토)

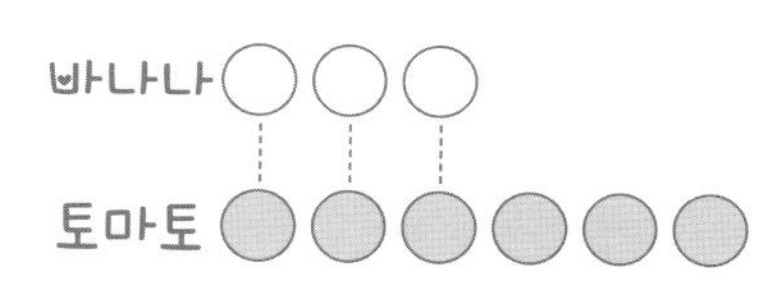
바나나
토마토

① 연필이 4자루 있습니다. 볼펜이 2자루 있습니다.

둘 중 어느 것이 더 많습니까? (연필 , 볼펜)

② 자전거가 5대 있습니다. 자동차가 7대 있습니다.

둘 중 어느 것이 더 많습니까? (자전거 , 자동차)

③ 양말이 6켤레 있습니다. 장갑이 5켤레 있습니다.

둘 중 어느 것이 더 적습니까? (양말 , 장갑)

④ 소나무가 8그루 있습니다. 향나무가 9그루 있습니다.

둘 중 어느 것이 더 적습니까? (소나무 , 향나무)

확인학습

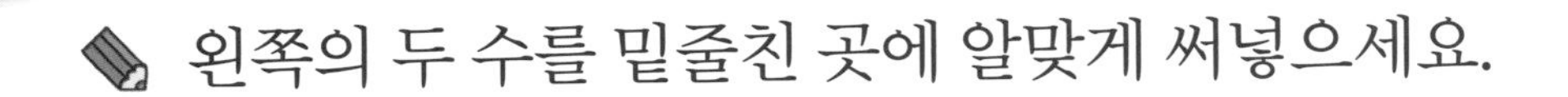

왼쪽의 두 수를 밑줄친 곳에 알맞게 써넣으세요.

①

________ 은 ________ 보다 더 큽니다.

②

________ 는 ________ 보다 더 작습니다.

③

________ 은 ________ 보다 더 큽니다.

그림을 보고 알맞은 말에 ○표 하세요.

④

수박은 복숭아보다 더 (많습니다 , 적습니다).

⑤

물감은 크레파스보다 더 (많습니다 , 적습니다).

그림을 보고 알맞은 말에 모두 ○표 하세요.

⑥

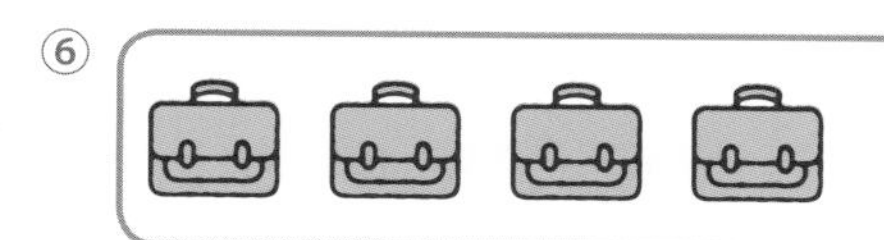 

(가방 , 우산) 은 (가방 , 우산) 보다 더 많습니다.

⑦

(책상 , 의자) 는 (책상 , 의자) 보다 더 적습니다.

 그림을 보고 알맞은 답에 ○표 하세요.

⑧

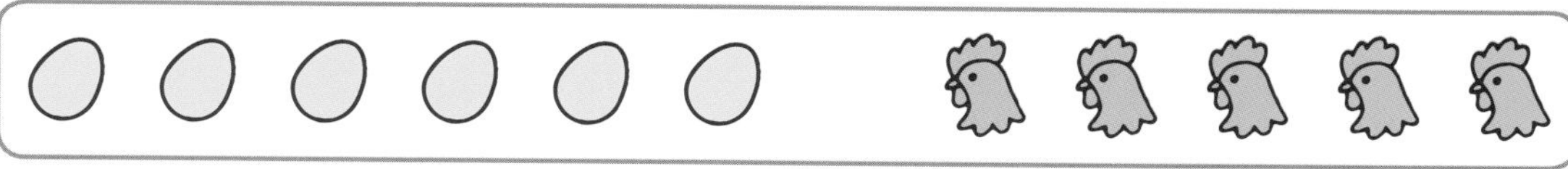

둘 중 어느 것이 더 적습니까? (달걀 , 닭)

⑨

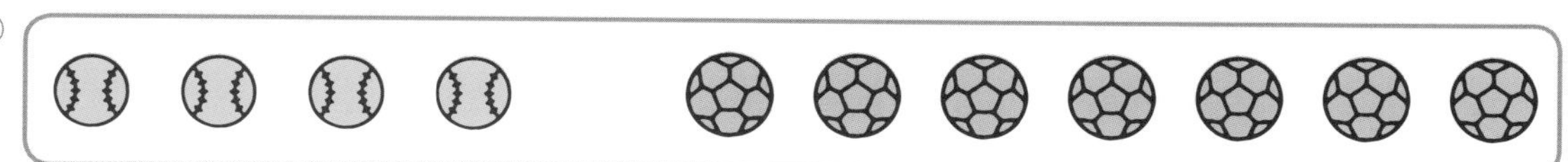

둘 중 어느 것이 더 많습니까? (야구공 , 축구공)

확인학습

✎ 문제를 읽고 알맞은 답에 ○표 하세요.

⑩ 코끼리가 1마리 있습니다. 코뿔소가 2마리 있습니다.
둘 중 어느 것이 더 많습니까? (코끼리 , 코뿔소)

⑪ 동화책이 4권 있습니다. 만화책이 7권 있습니다.
둘 중 어느 것이 더 적습니까? (동화책 , 만화책)

⑫ 단팥빵이 5개 있습니다. 사탕이 3개 있습니다.
둘 중 어느 것이 더 적습니까? (단팥빵 , 사탕)

⑬ 트럭이 9대 있습니다. 자전거가 7대 있습니다.
둘 중 어느 것이 더 많습니까? (트럭 , 자전거)

⑭ 장미가 6송이 있습니다. 튤립이 8송이 있습니다.
둘 중 어느 것이 더 적습니까? (장미 , 튤립)

4주차

모으기와 가르기

모으기

❀ 모은 개수만큼 ○표 하고, 알맞은 수를 써넣으세요.

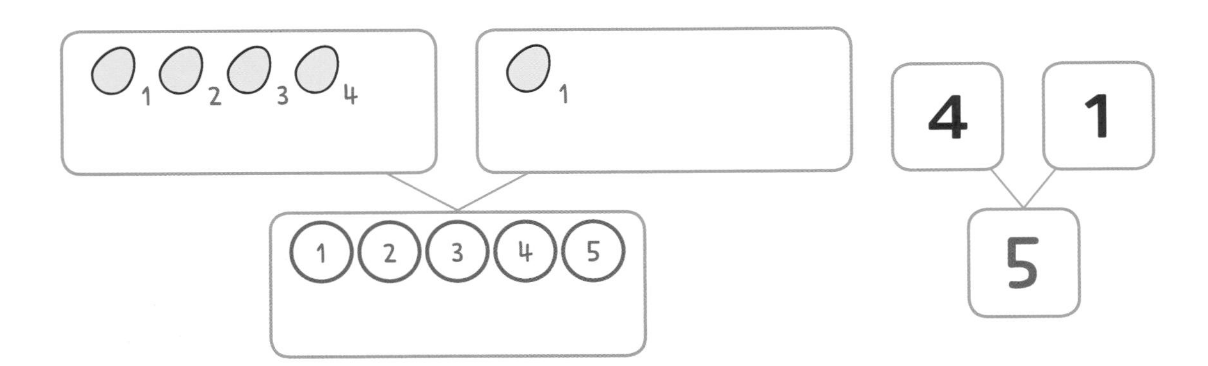

①

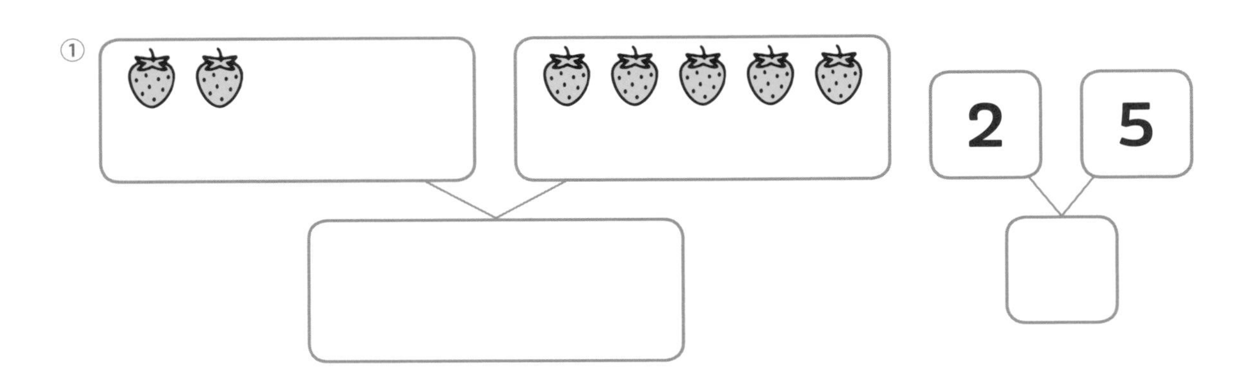

②

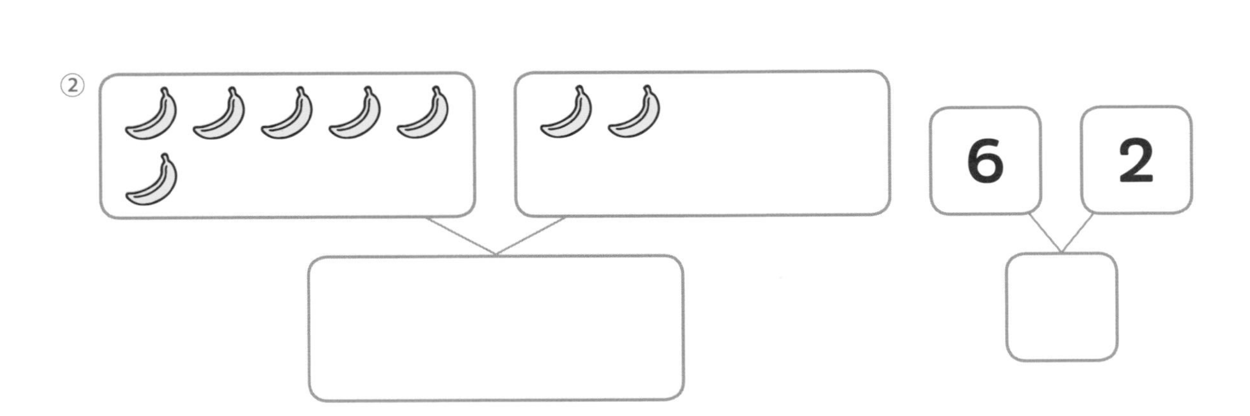

알맞은 것끼리 이어 보세요.

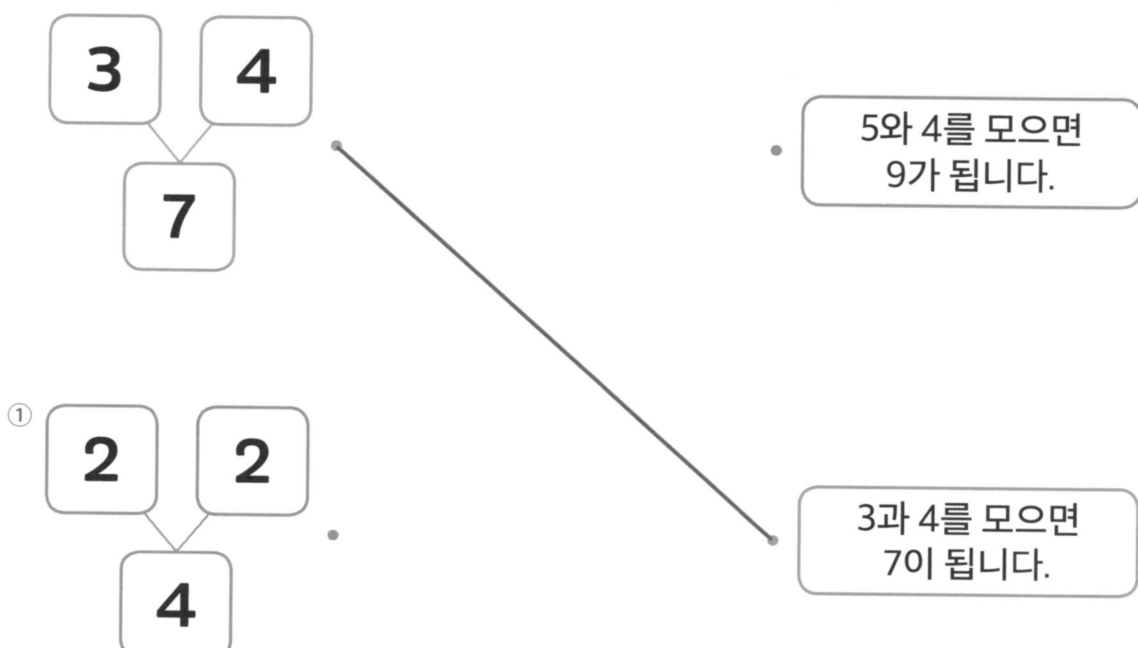

5와 4를 모으면
9가 됩니다.

3과 4를 모으면
7이 됩니다.

② 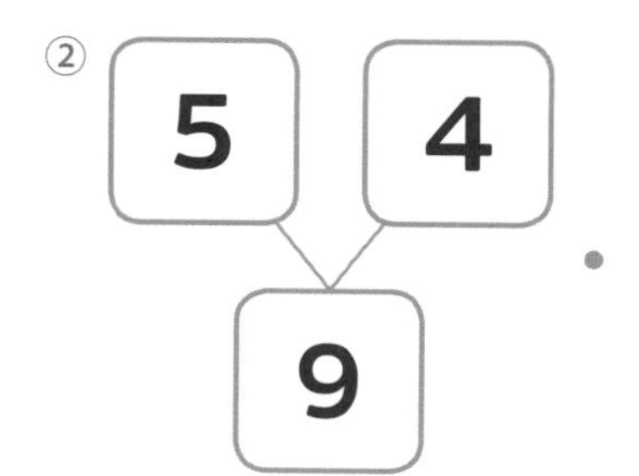

2와 2를 모으면
4가 됩니다.

③ 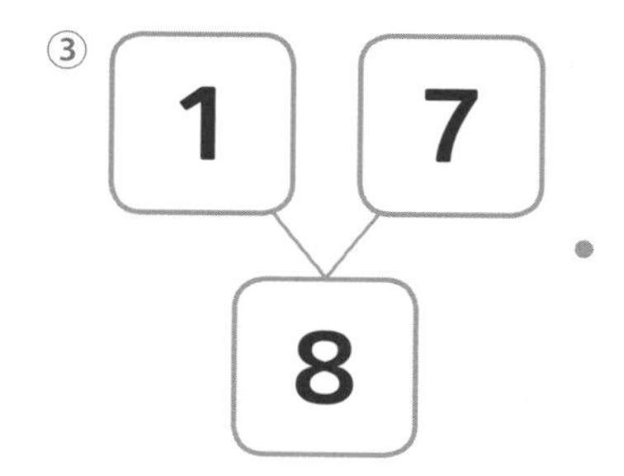

1과 7을 모으면
8이 됩니다.

2일 가르기

가른 개수만큼 ○표 하고, 알맞은 수를 써넣으세요.

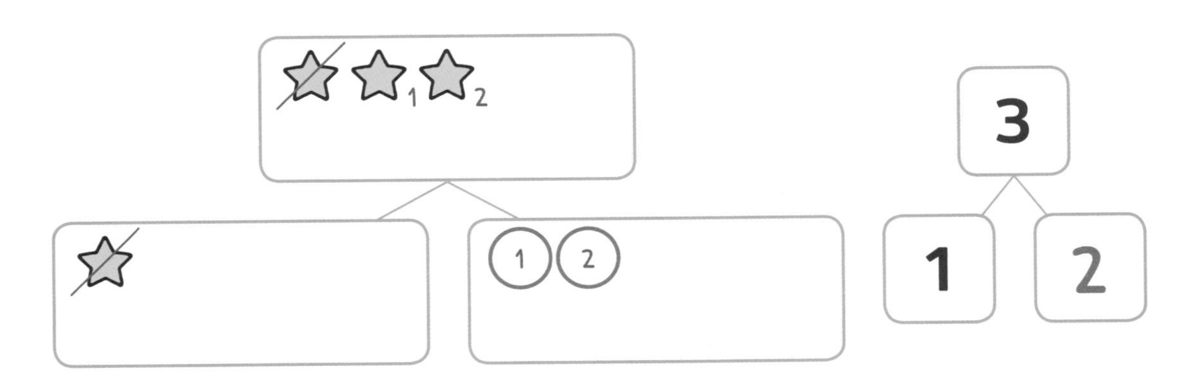

①

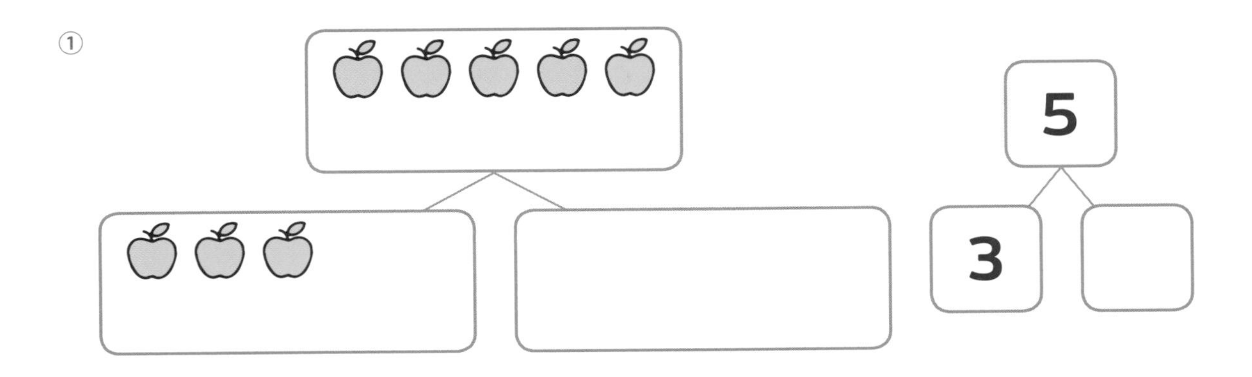

②

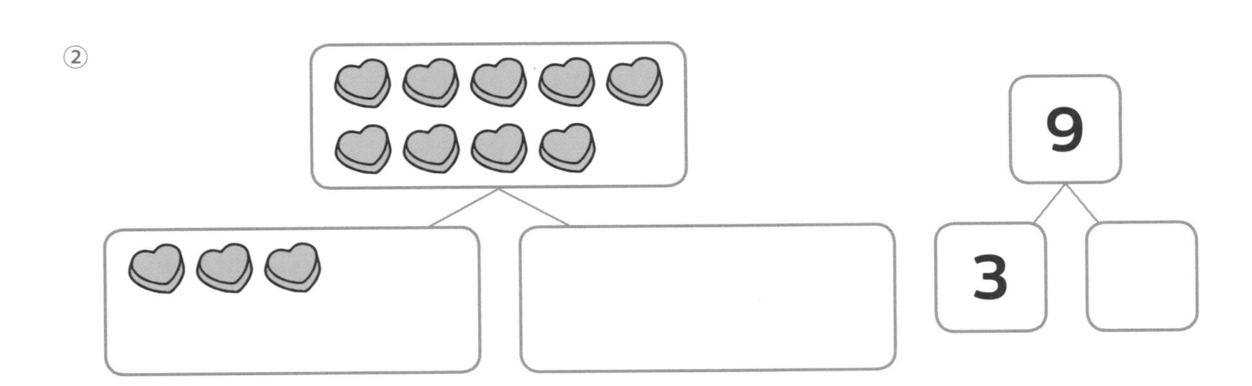

알맞은 것끼리 이어 보세요.

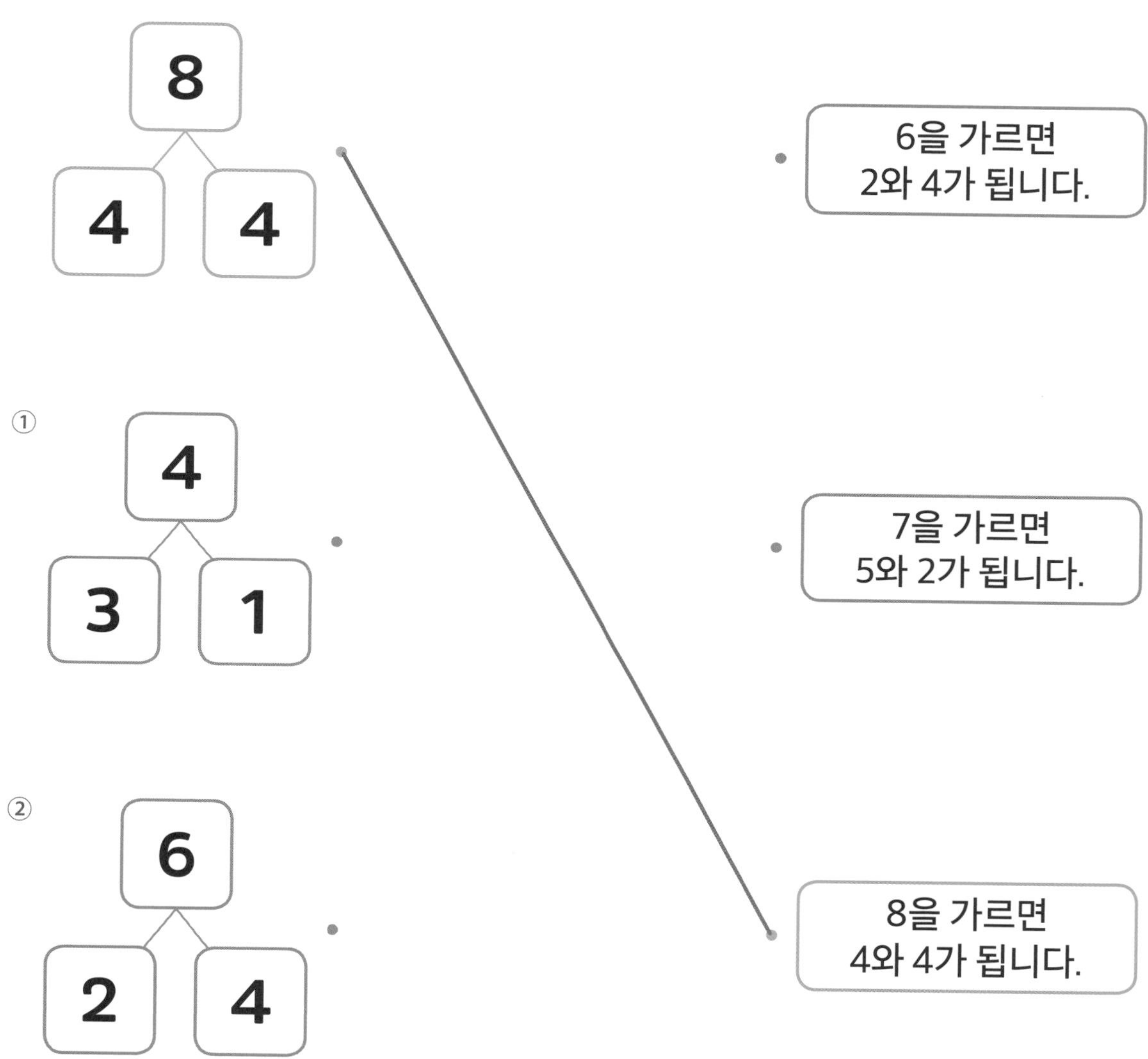

8
4 4

6을 가르면
2와 4가 됩니다.

①
4
3 1

7을 가르면
5와 2가 됩니다.

②
6
2 4

8을 가르면
4와 4가 됩니다.

③

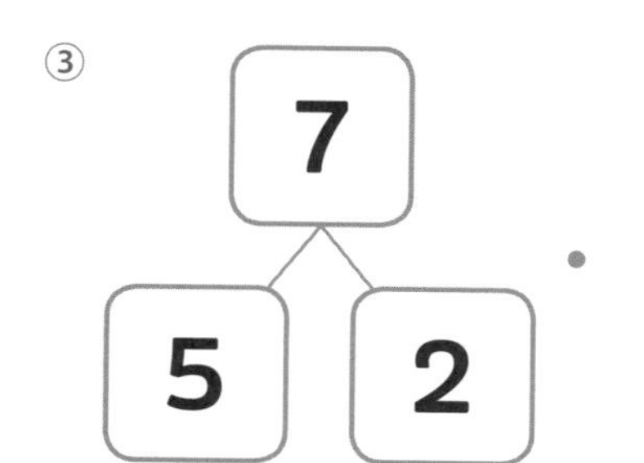

7
5 2

4를 가르면
3과 1이 됩니다.

3일 모으기 문장, 가르기 문장

빈 곳과 밑줄친 곳에 알맞은 수를 써넣으세요.

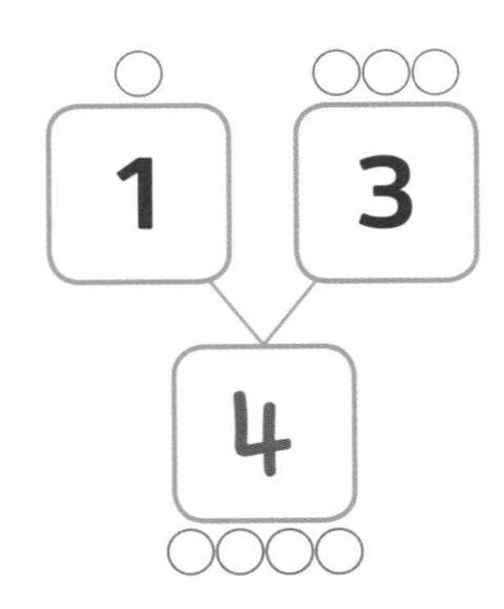

한 접시에 복숭아를 1개 놓습니다.

다른 접시에 복숭아를 3개 놓습니다.

복숭아는 모두 ___4___ 개입니다.

① 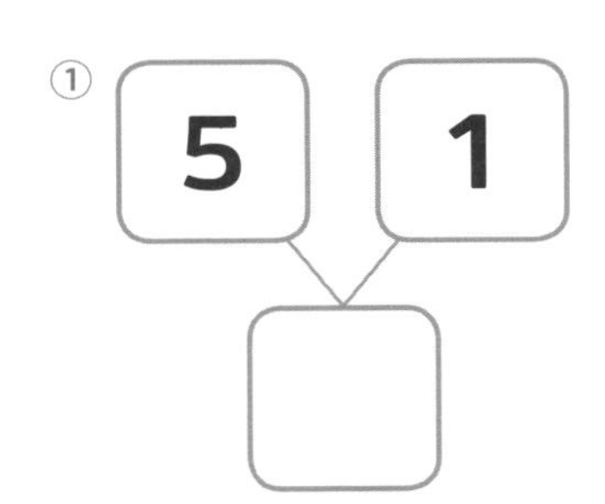

한 접시에 당근을 5개 놓습니다.

다른 접시에 당근을 1개 놓습니다.

당근은 모두 ________ 개입니다.

② 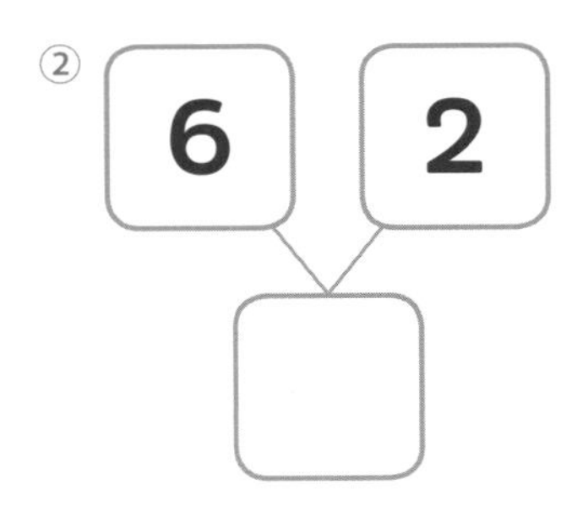

한 접시에 별사탕을 6개 놓습니다.

다른 접시에 별사탕을 2개 놓습니다.

별사탕은 모두 ________ 개입니다.

빈 곳과 밑줄친 곳에 알맞은 수를 써넣으세요.

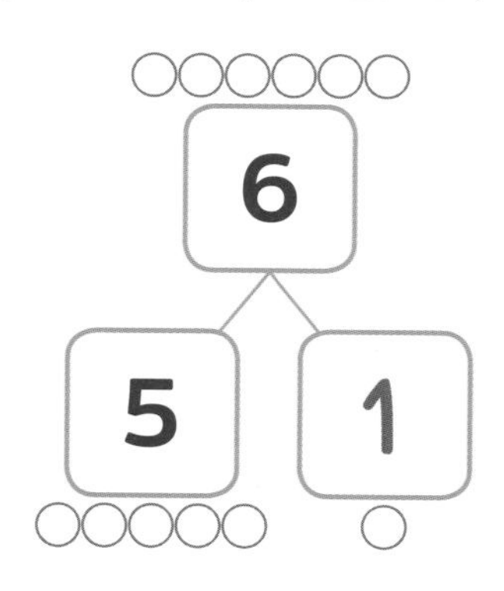

사과는 모두 6개입니다.

한 접시에 사과를 5개 놓습니다.

다른 접시에 사과를 ___1___ 개 놓습니다.

①

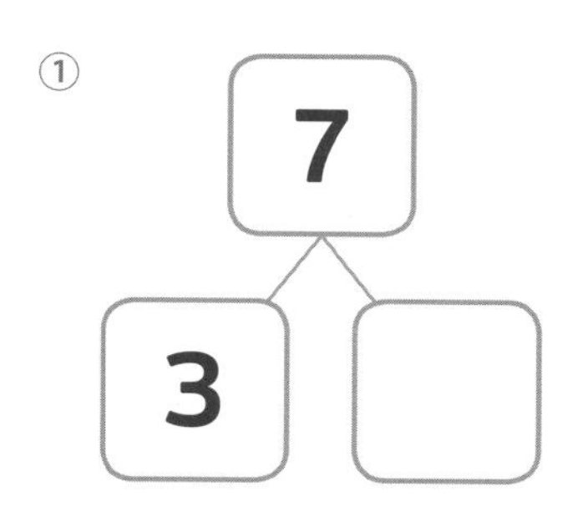

머핀은 모두 7개입니다.

한 접시에 머핀을 3개 놓습니다.

다른 접시에 머핀을 ______ 개 놓습니다.

②

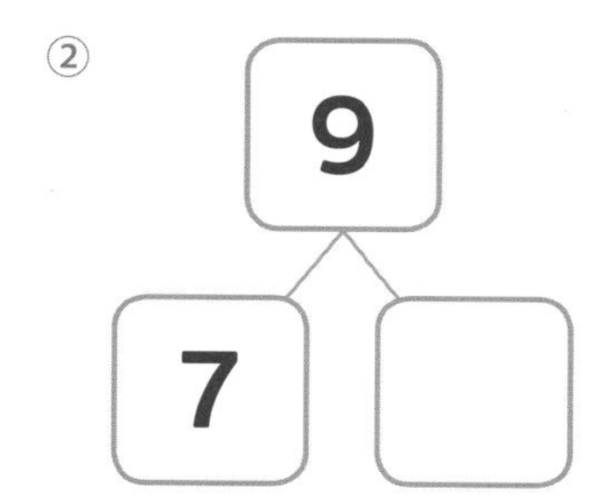

버섯은 모두 9개입니다.

한 접시에 버섯을 7개 놓습니다.

다른 접시에 버섯을 ______ 개 놓습니다.

4일 모두 몇 개입니까

모은 수를 써넣고 물음에 답하세요.

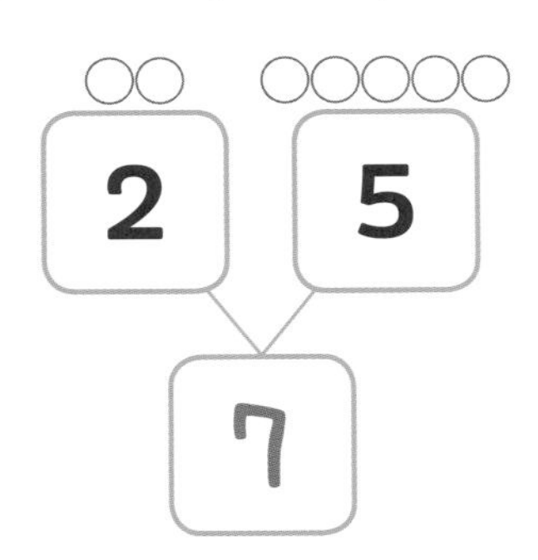

모은 딸기는 모두 몇 개입니까? 7 개

①

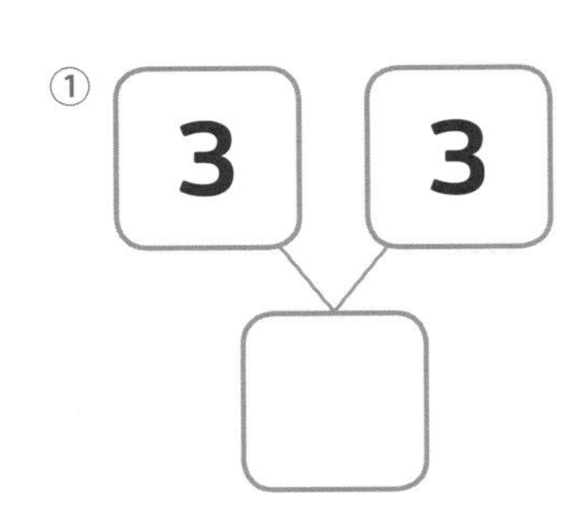

모은 크래커는 모두 몇 개입니까? ______ 개

②

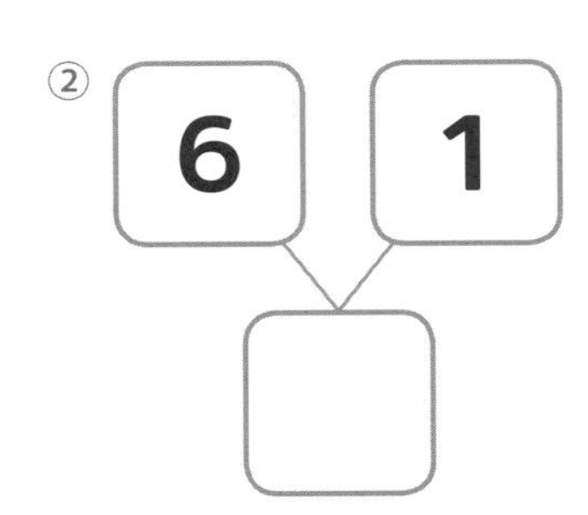

모은 당근은 모두 몇 개입니까? ______ 개

③

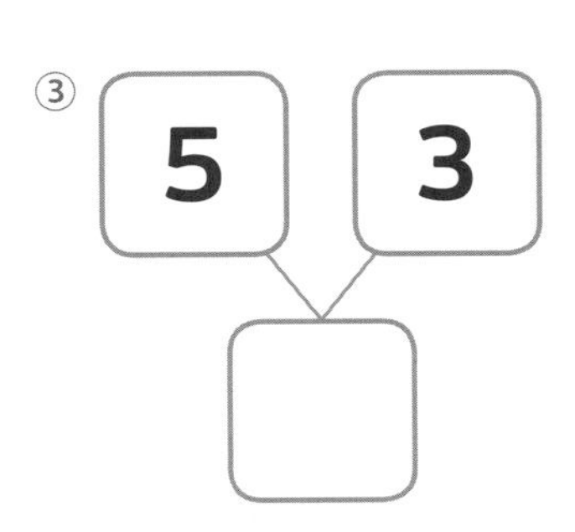

모은 별사탕은 모두 몇 개입니까? ______ 개

문제를 읽고 물음에 답하세요.

한 접시에 바나나를 3개 놓습니다. 다른 접시에 바나나를 1개 놓습니다.

바나나는 모두 몇 개입니까?  개

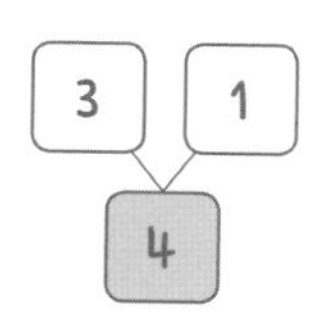

① 한 접시에 쿠키를 5개 놓습니다. 다른 접시에 쿠키를 1개 놓습니다.

쿠키는 모두 몇 개입니까? ______ 개

② 한 접시에 땅콩을 2개 놓습니다. 다른 접시에 땅콩을 7개 놓습니다.

땅콩은 모두 몇 개입니까? ______ 개

③ 한 접시에 버섯을 1개 놓습니다. 다른 접시에 버섯을 4개 놓습니다.

버섯은 모두 몇 개입니까? ______ 개

5일 남은 것은 몇 개입니까

가르고 남은 수를 써넣고 물음에 답하세요.

개

①

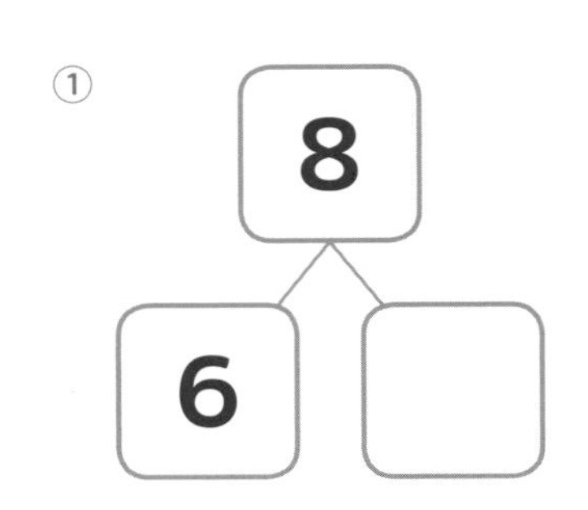

남은 버섯은 몇 개입니까? ______ 개

②

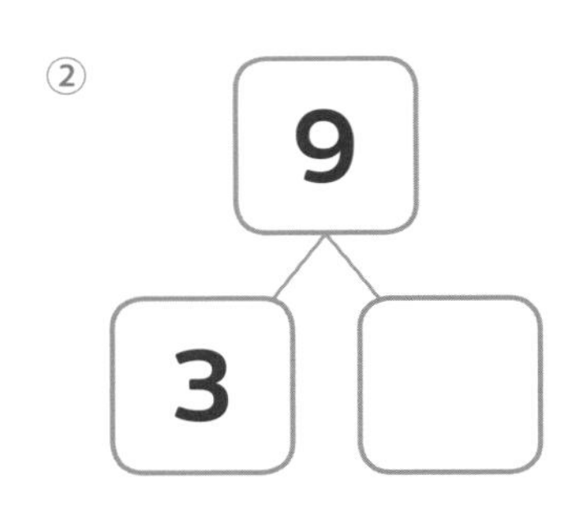

남은 레몬은 몇 개입니까? ______ 개

③

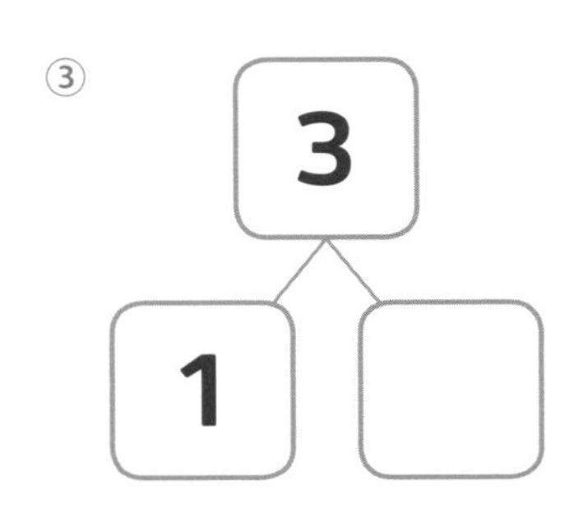

남은 호빵은 몇 개입니까? ______ 개

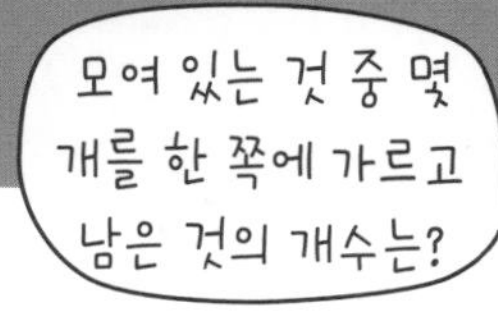

모여 있는 것 중 몇
개를 한 쪽에 가르고
남은 것의 개수는?

 문제를 읽고 물음에 답하세요.

사과가 모두 5개입니다. 접시에 사과를 2개 놓습니다.

남은 사과는 몇 개입니까? 3 개

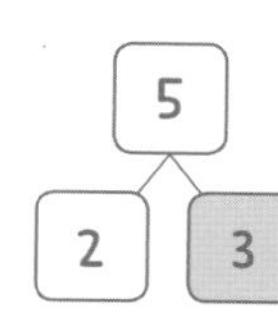

① 어묵이 모두 6개입니다. 접시에 어묵을 4개 놓습니다.

남은 어묵은 몇 개입니까? ______ 개

② 감자가 모두 4개입니다. 접시에 감자를 3개 놓습니다.

남은 감자는 몇 개입니까? ______ 개

③ 단팥빵이 모두 8개입니다. 접시에 단팥빵을 1개 놓습니다.

남은 단팥빵은 몇 개입니까? ______ 개

확인학습

빈 곳과 밑줄친 곳에 알맞은 수를 써넣으세요.

①

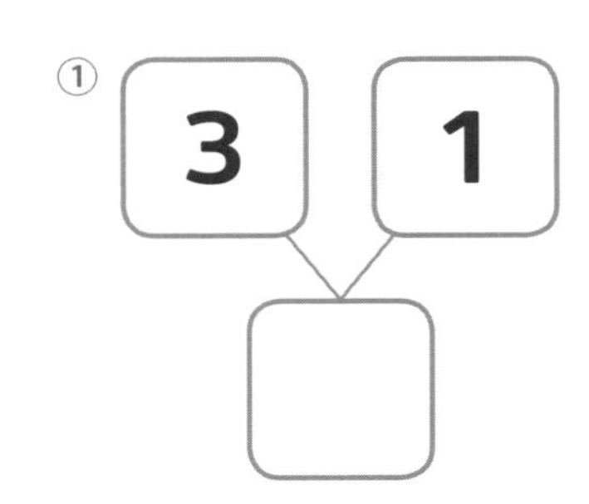

한 접시에 사탕을 3개 놓습니다.

다른 접시에 사탕을 1개 놓습니다.

사탕은 모두 ________ 개입니다.

②

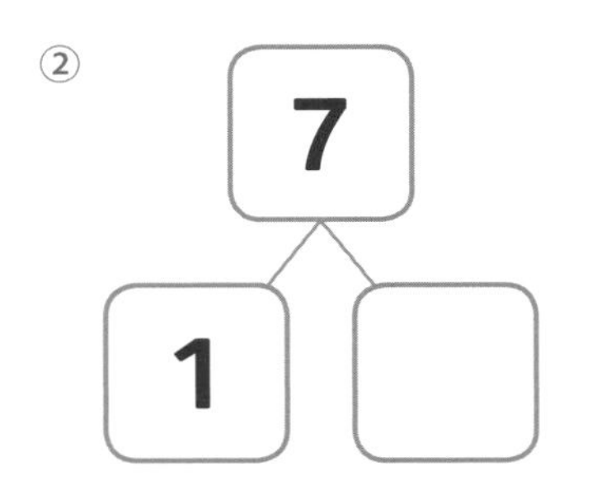

참외는 모두 7개입니다.

한 접시에 참외를 1개 놓습니다.

다른 접시에 참외를 ________ 개 놓습니다.

③

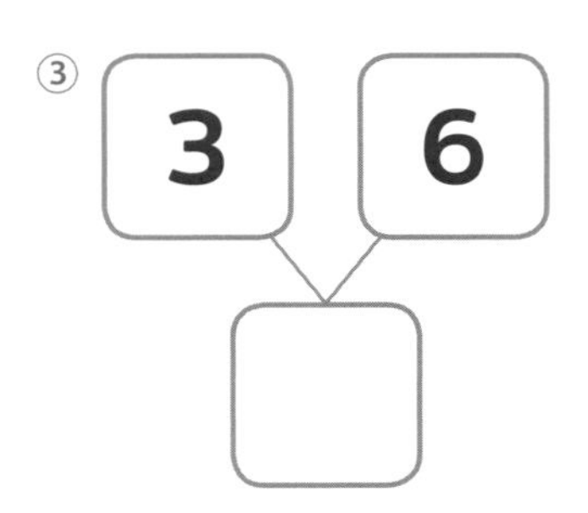

한 접시에 양파를 3개 놓습니다.

다른 접시에 양파를 6개 놓습니다.

양파는 모두 ________ 개입니다.

✎ 모으거나 가르고 남은 수를 써넣고 물음에 답하세요.

④

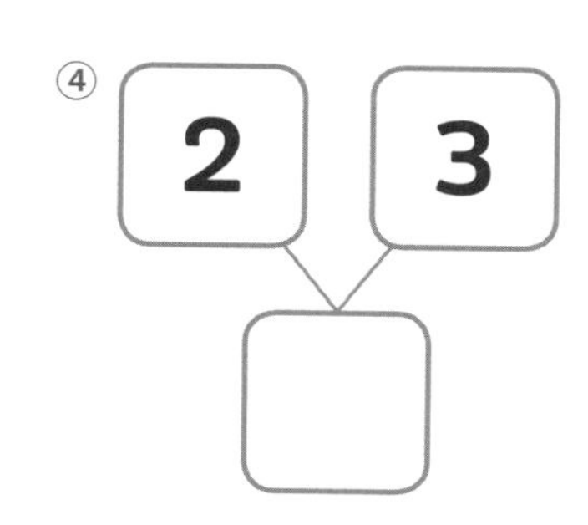

모은 만두는 모두 몇 개입니까? ______ 개

⑤

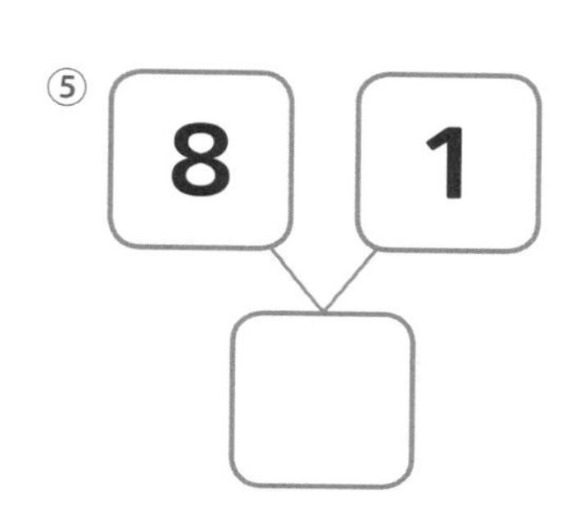

모은 머핀은 모두 몇 개입니까? ______ 개

⑥

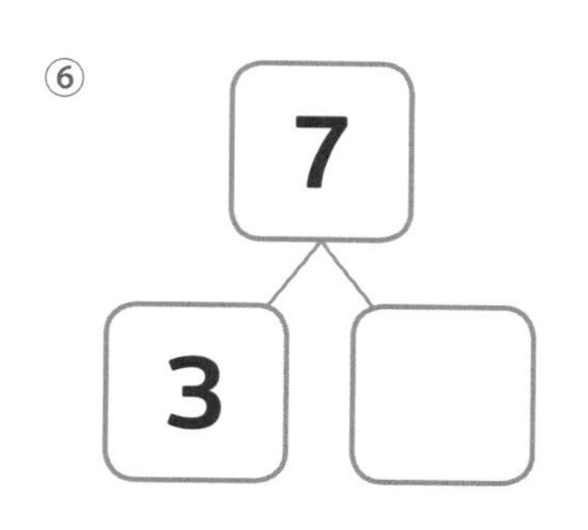

남은 햄버거는 몇 개입니까? ______ 개

⑦

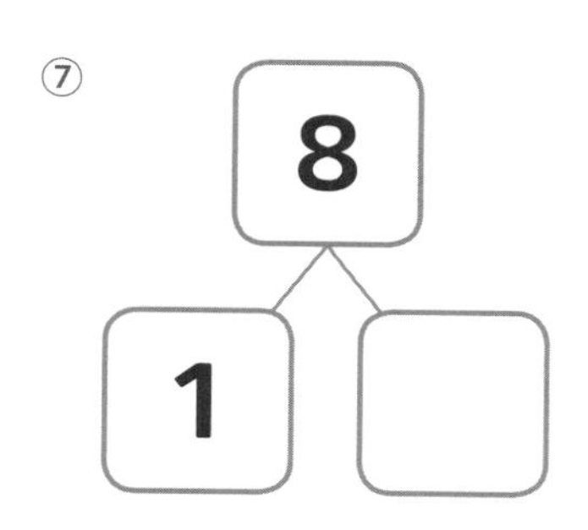

남은 체리는 몇 개입니까? ______ 개

확인학습

문제를 읽고 물음에 답하세요.

⑧ 한 접시에 토마토를 2개 놓습니다. 다른 접시에 토마토를 2개 놓습니다.

토마토는 모두 몇 개입니까? ______ 개

⑨ 한 접시에 당근을 4개 놓습니다. 다른 접시에 당근을 5개 놓습니다.

당근은 모두 몇 개입니까? ______ 개

⑩ 초콜릿이 모두 3개입니다. 접시에 초콜릿을 1개 놓습니다.

남은 초콜릿은 몇 개입니까? ______ 개

⑪ 호두가 모두 6개입니다. 접시에 호두를 3개 놓습니다.

남은 호두는 몇 개입니까? ______ 개

진단평가

진단평가에는 앞에서 학습한 4주차의 문장제 활동이 순서대로 나옵니다. 잘못 푼 문제가 있으면 몇 주차인지 확인하여 반드시 한 번 더 복습해 봅니다.

1주차	3주차
2주차	4주차

1회차

진단평가

✎ 이름을 골라 ○표 하고, 수를 써넣으세요.

①

비행기 버스 자전거 ○

②

비행기 버스 자전거 ○

③

비행기 버스 자전거 ○

✎ 그림을 보고 물음에 답하세요.

④

닭이 몇 마리 있습니까? ______ 마리

⑤

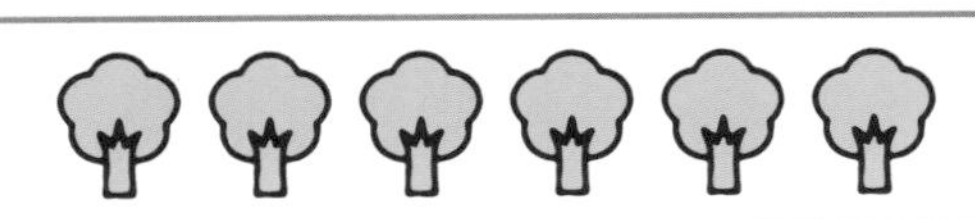

나무가 몇 그루 있습니까? ______ 그루

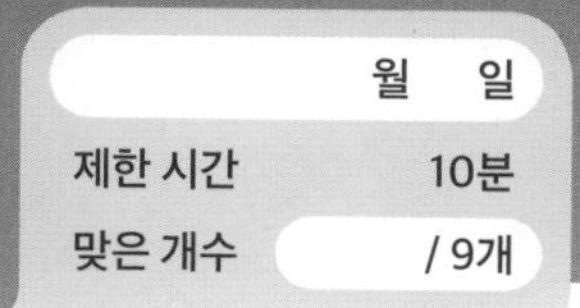

그림을 보고 알맞은 답에 ○표 하세요.

⑥ 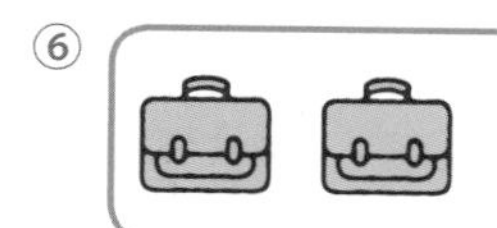 

둘 중 어느 것이 더 적습니까? (가방 , 모자)

⑦  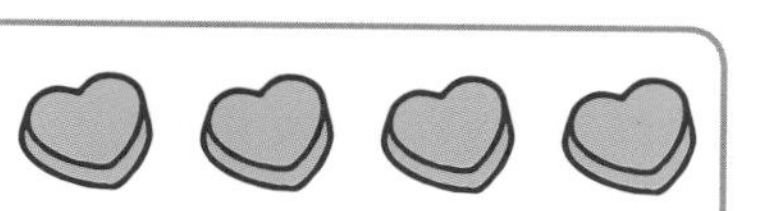

둘 중 어느 것이 더 많습니까? (우유 , 초콜릿)

알맞은 수를 써넣고 물음에 답하세요.

⑧ 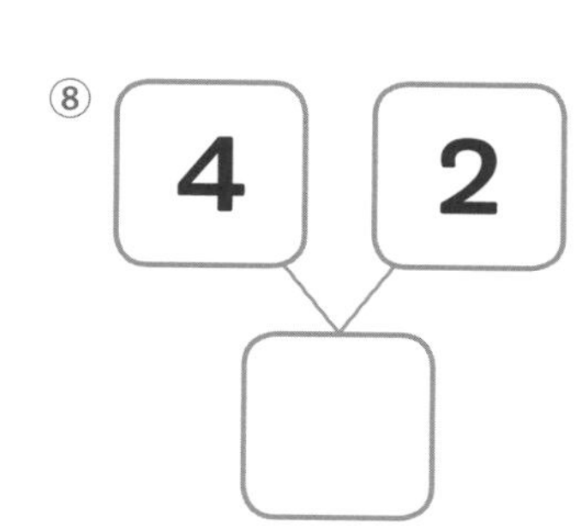

모은 사과는 모두 몇 개입니까? ______ 개

⑨ 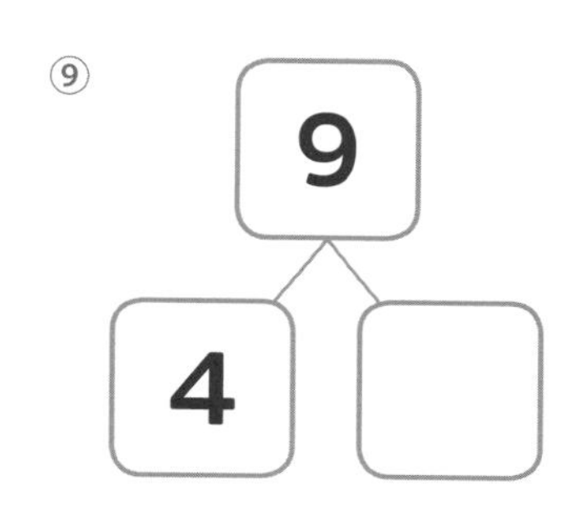

남은 오이는 몇 개입니까? ______ 개

2회차 진단평가

알맞게 잇고 개수만큼 색칠해 보세요.

①

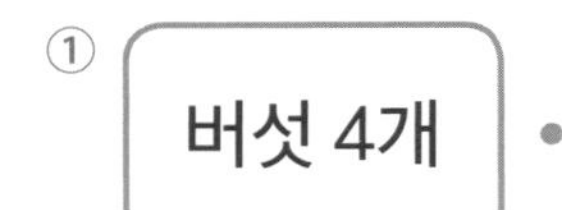

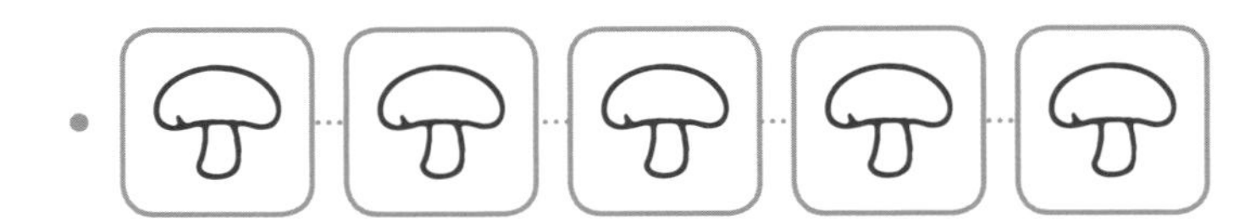

② 당근 1개

③ 사과 3개

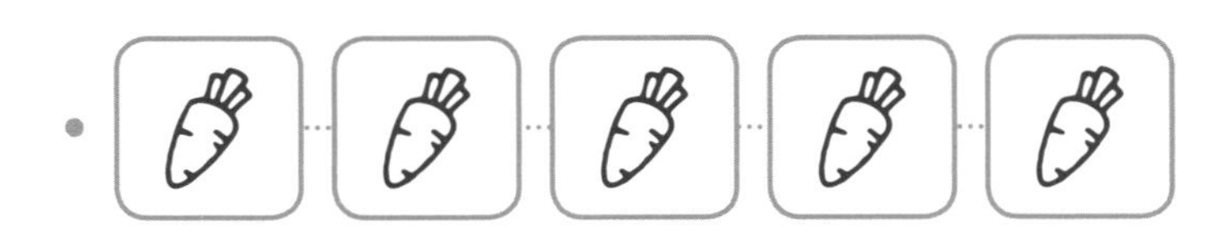

주어진 수만큼 ○표 하세요.

④ 5잔

⑤

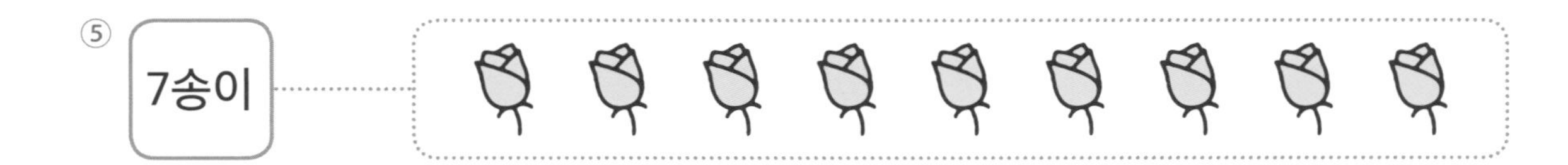

⑥ 4대

월	일
제한 시간	10분
맞은 개수	/ 10개

문제를 읽고 알맞은 답에 ○표 하세요.

⑦ 감자가 2개 있습니다. 양파가 3개 있습니다.
둘 중 어느 것이 더 많습니까? (감자 , 양파)

⑧ 색종이가 6장 있습니다. 메모장이 7장 있습니다.
둘 중 어느 것이 더 적습니까? (색종이 , 메모장)

문제를 읽고 물음에 답하세요.

⑨ 한 접시에 가지를 3개 놓습니다. 다른 접시에 가지를 3개 놓습니다.
가지는 모두 몇 개입니까? ______ 개

⑩ 한 접시에 별사탕을 1개 놓습니다. 다른 접시에 별사탕을 8개 놓습니다.
별사탕은 모두 몇 개입니까? ______ 개

3회차 진단평가

✎ 알맞은 말에 ○표 하세요.

①

(수박이 , 복숭아가) 2개 있습니다.

②

(햄버거가 , 초콜릿이) 4개 있습니다.

③

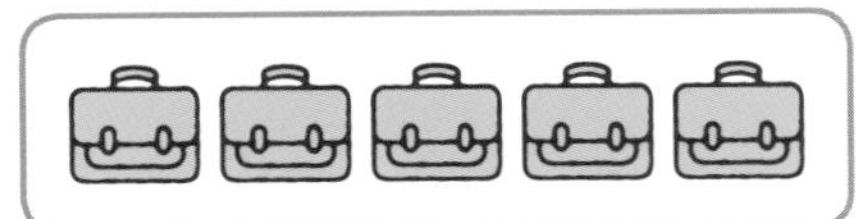

(가방이 , 지우개가) 5개 있습니다.

✎ 문장이 되도록 알맞게 이어 보세요.

④ 주스가 •		• 3송이 있습니다.
⑤ 색종이가 •		• 6병 있습니다.
⑥ 튤립이 •		• 8장 있습니다.

월 일

제한 시간 10분

맞은 개수 / 11개

✎ 왼쪽의 두 수를 밑줄친 곳에 알맞게 써넣으세요.

⑦ 7 8

_____ 은 _____ 보다 더 작습니다.

⑧ 6 2

_____ 은 _____ 보다 더 큽니다.

⑨ 3 4

_____ 은 _____ 보다 더 작습니다.

✎ 문제를 읽고 물음에 답하세요.

⑩ 호떡이 모두 9개입니다. 접시에 호떡을 5개 놓습니다.

남은 호떡은 몇 개입니까? _____ 개

⑪ 오렌지가 모두 8개입니다. 접시에 오렌지를 3개 놓습니다.

남은 오렌지는 몇 개입니까? _____ 개

진단평가

✎ 그림을 보고 올바른 말에 ○표, 잘못된 말에 ×표 하세요.

① 축구공이 2개 있습니다. ☐

② 주사위가 3개 있습니다. ☐

③ 달걀이 5개 있습니다. ☐

✎ 알맞은 말에 ○표 하세요.

④ 소나무가 (2마리 , 2잔 , 2그루) 있습니다.

⑤ 운동화가 (9켤레 , 9병 , 9마리) 있습니다.

⑥ 참외가 (5마리 , 5개 , 5벌) 있습니다.

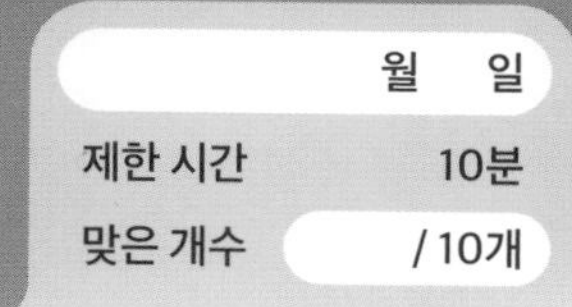

✎ 그림을 보고 알맞은 말에 ○표 하세요.

⑦

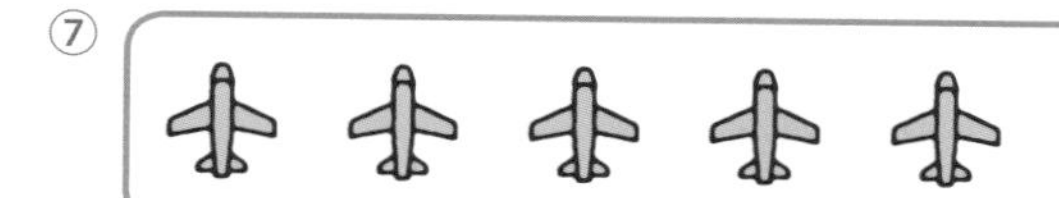

비행기는 자동차보다 더 (많습니다 , 적습니다).

⑧

머핀은 초콜릿보다 더 (많습니다 , 적습니다).

✎ 빈 곳과 밑줄친 곳에 알맞은 수를 써넣으세요.

⑨

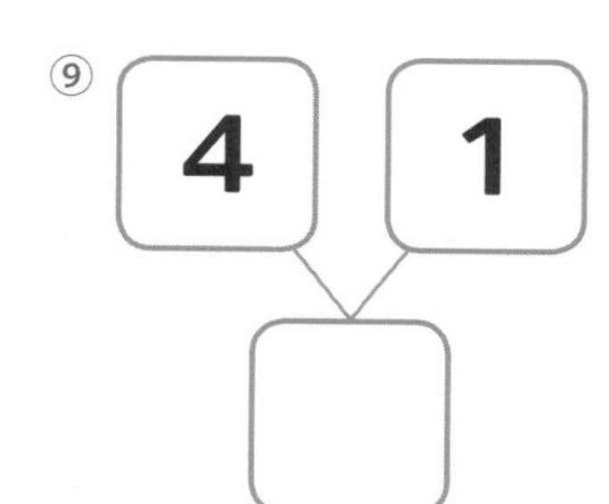

한 접시에 가지를 4개 놓습니다.

다른 접시에 가지를 1개 놓습니다.

가지는 모두 ______ 개입니다.

⑩

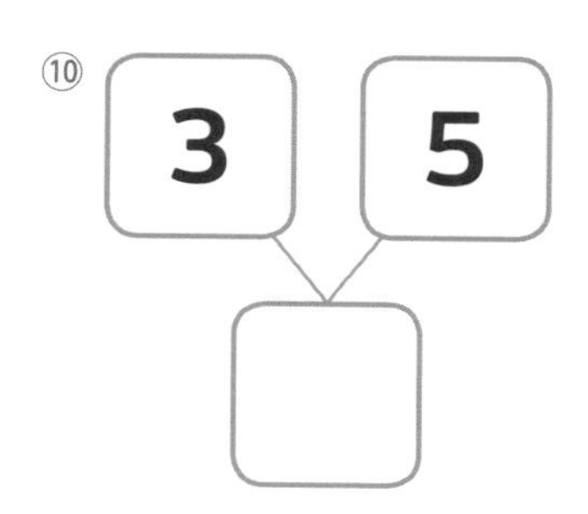

한 접시에 쿠키를 3개 놓습니다.

다른 접시에 쿠키를 5개 놓습니다.

쿠키는 모두 ______ 개입니다.

5회차 진단평가

✎ 그림을 보고 물음에 답하세요.

①

지우개가 몇 개 있습니까? ______ 개

②

딸기가 몇 개 있습니까? ______ 개

✎ 올바른 말에 ○표, 잘못된 말에 ×표 하세요.

③ 치마가 1벌 있습니다. ☐

④ 강아지가 9그루 있습니다. ☐

⑤ 색종이가 4잔 있습니다. ☐

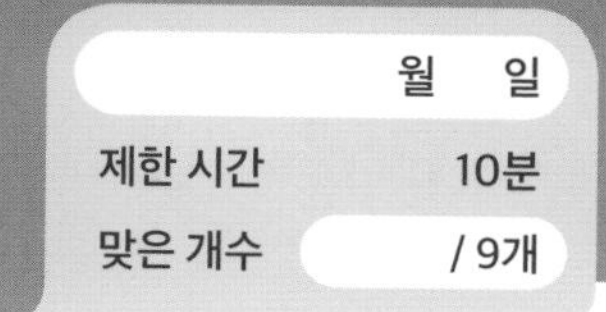

✎ 그림을 보고 알맞은 말에 모두 ○표 하세요.

⑥

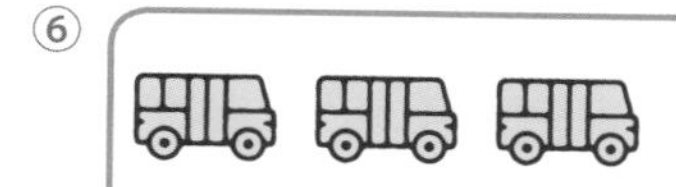

(버스 , 자전거) 는 (버스 , 자전거) 보다 더 많습니다.

⑦

(튤립 , 해바라기) 은 (튤립 , 해바라기) 보다 더 적습니다.

✎ 빈 곳과 밑줄친 곳에 알맞은 수를 써넣으세요.

⑧

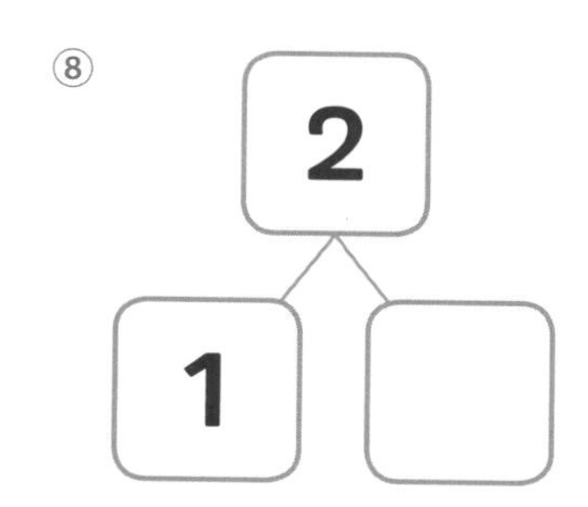

바나나는 모두 2개입니다.

한 접시에 바나나를 1개 놓습니다.

다른 접시에 바나나를 ______ 개 놓습니다.

⑨

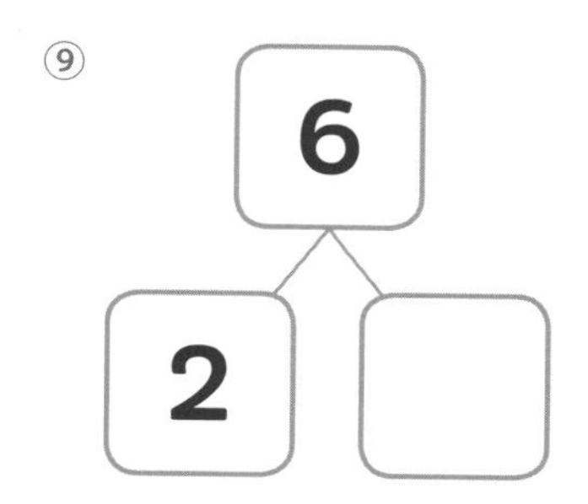

달걀은 모두 6개입니다.

한 접시에 달걀을 2개 놓습니다.

다른 접시에 달걀을 ______ 개 놓습니다.

Memo

하루 10분 서술형/문장제 학습지

씨투엠

수학 독해

정답

S1 9까지의 수

5세~7세

정답

S1

9까지의 수

5세~7세

1주 5까지 세기

P 06 ~ 07

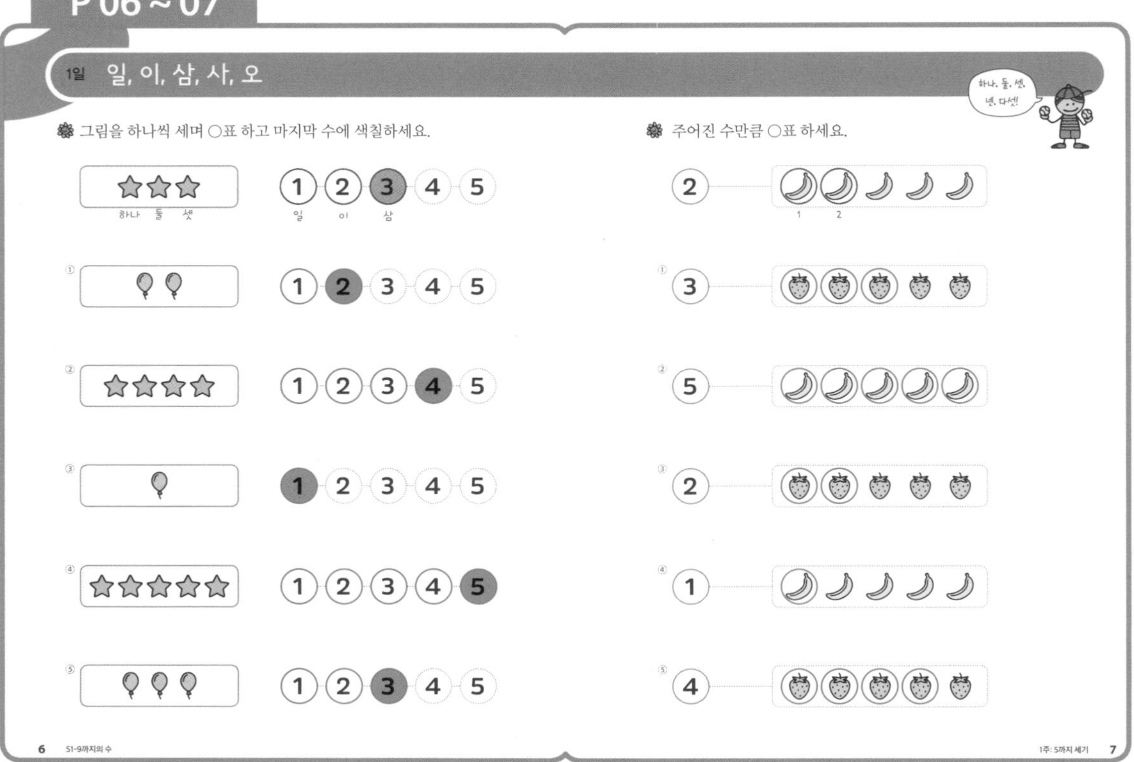

1일 일, 이, 삼, 사, 오
그림을 하나씩 세며 ○표 하고 마지막 수에 색칠하세요.
주어진 수만큼 ○표 하세요.
하나, 둘, 셋, 넷, 다섯!
하나 둘 셋
일 이 삼
6 S1-9까지의 수
1주: 5까지 세기 7

P 08 ~ 09

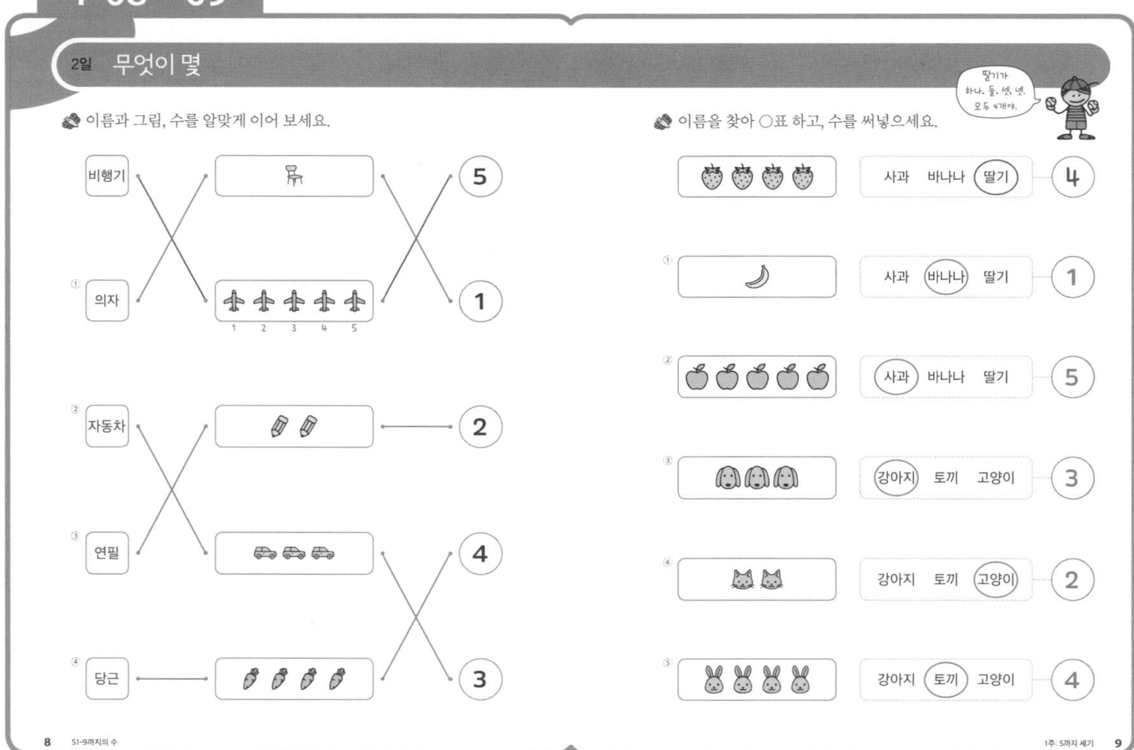

P 10 ~ 11

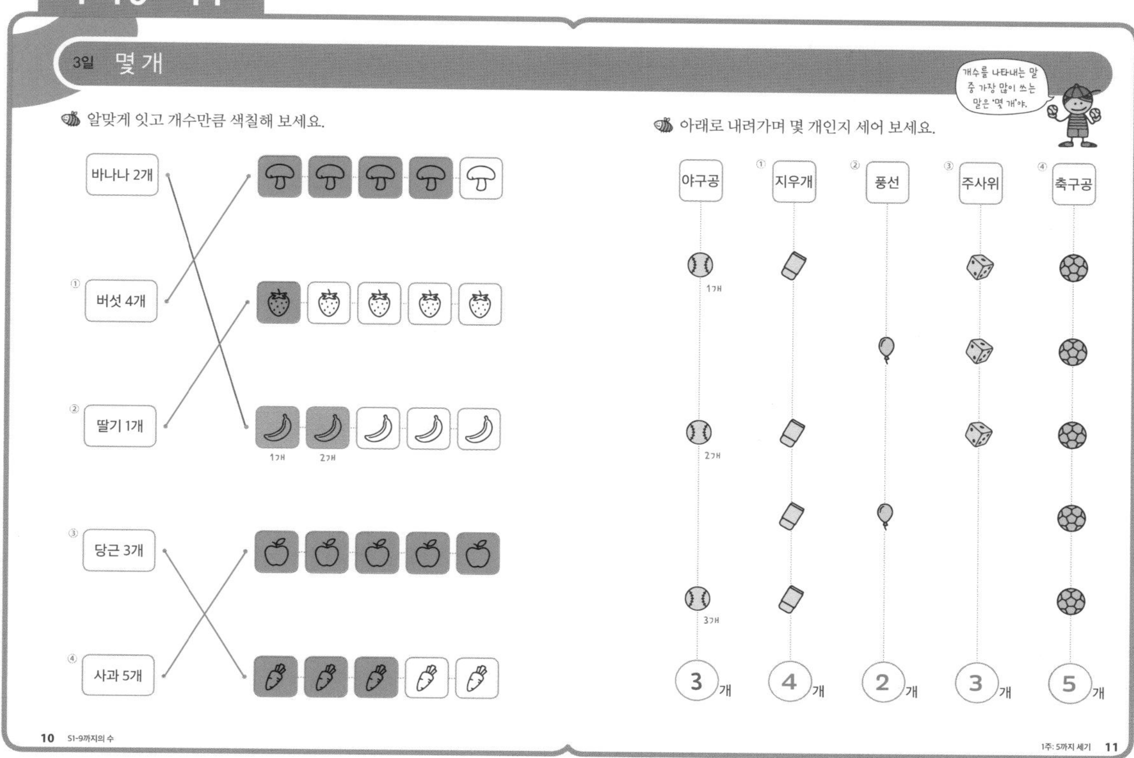

3일 몇 개

알맞게 잇고 개수만큼 색칠해 보세요.

바나나 2개

① 버섯 4개

② 딸기 1개

③ 당근 3개

④ 사과 5개

1개 2개

아래로 내려가며 몇 개인지 세어 보세요.

야구공 ① 지우개 ② 풍선 ③ 주사위 ④ 축구공

1개 2개 3개

3 개 4 개 2 개 3 개 5 개

개수를 나타내는 말 중 가장 많이 쓰는 말은 '몇 개'야.

P 12 ~ 13

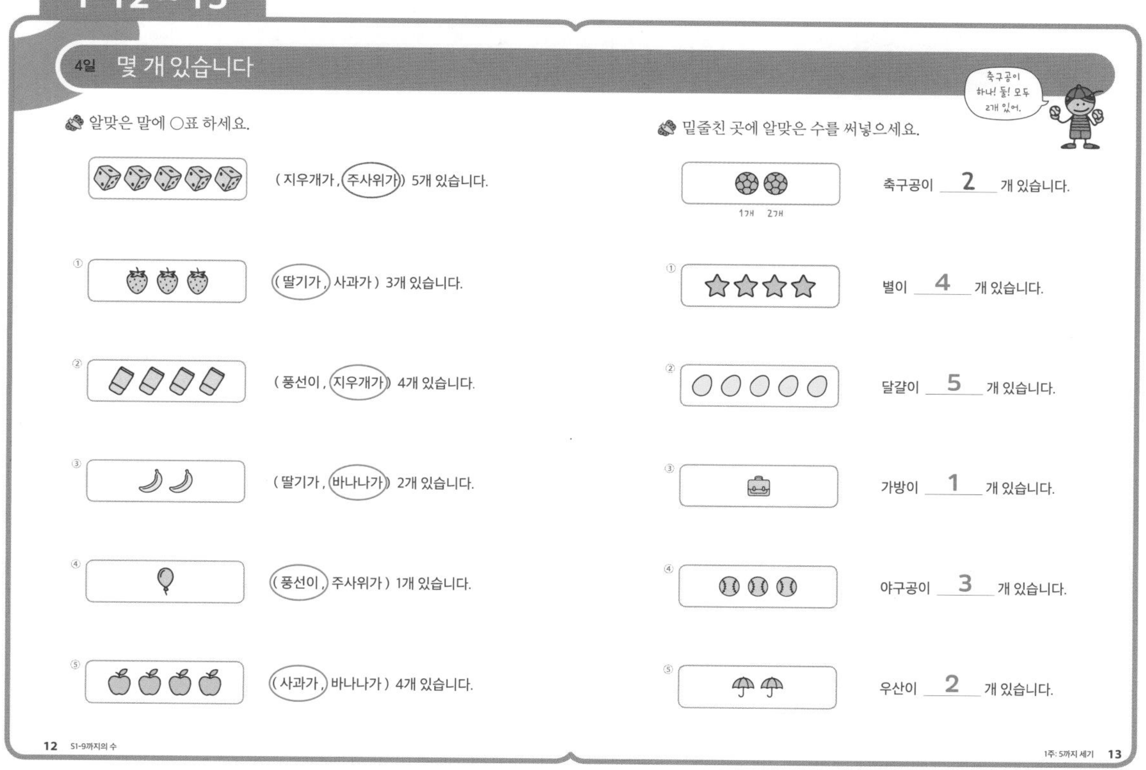

4일 몇 개 있습니다

알맞은 말에 ○표 하세요.

(지우개가 , (주사위가)) 5개 있습니다.

① ((딸기가) , 사과가) 3개 있습니다.

② (풍선이 , (지우개가)) 4개 있습니다.

③ (딸기가 , (바나나가)) 2개 있습니다.

④ ((풍선이) , 주사위가) 1개 있습니다.

⑤ ((사과가) , 바나나가) 4개 있습니다.

밑줄친 곳에 알맞은 수를 써넣으세요.

1개 2개

축구공이 __2__ 개 있습니다.

① 별이 __4__ 개 있습니다.

② 달걀이 __5__ 개 있습니다.

③ 가방이 __1__ 개 있습니다.

④ 야구공이 __3__ 개 있습니다.

⑤ 우산이 __2__ 개 있습니다.

축구공이 하나! 둘! 모두 2개 있어.

P 14 ~ 15

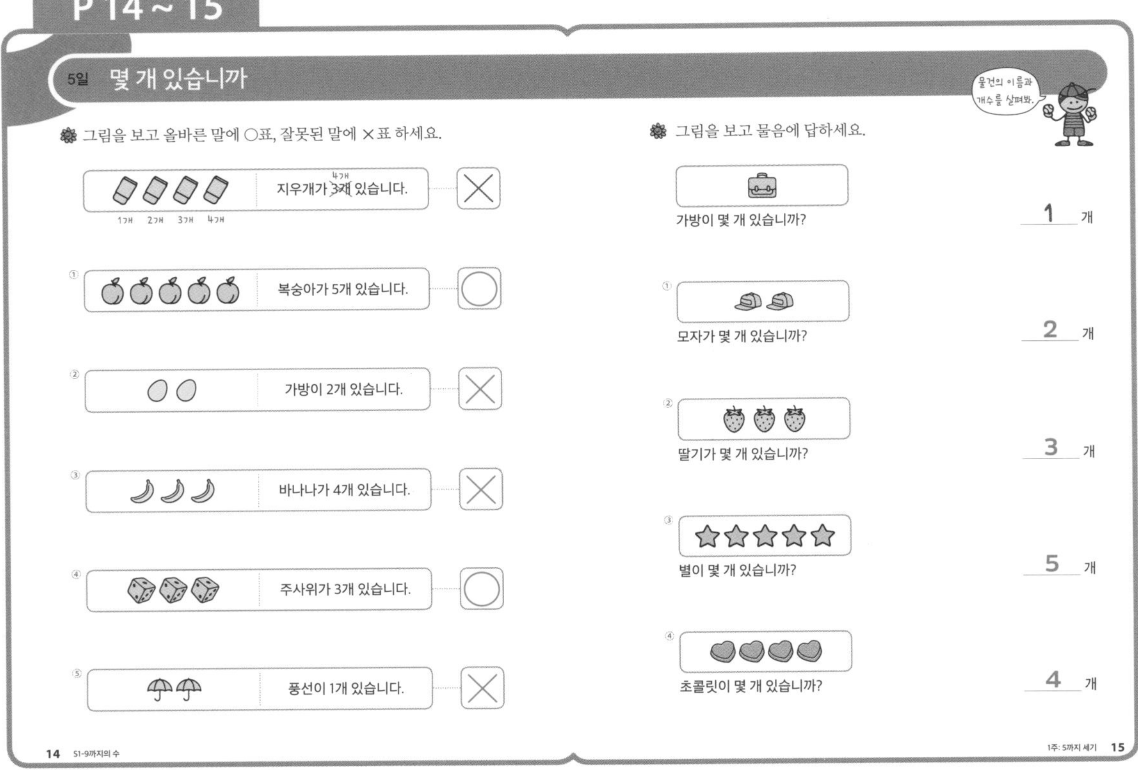

5일 몇 개 있습니까

그림을 보고 올바른 말에 ○표, 잘못된 말에 ×표 하세요.

지우개가 3개 있습니다. (4개) — ×

1개 2개 3개 4개

① 복숭아가 5개 있습니다. — ○

② 가방이 2개 있습니다. — ×

③ 바나나가 4개 있습니다. — ×

④ 주사위가 3개 있습니다. — ○

⑤ 풍선이 1개 있습니다. — ×

그림을 보고 물음에 답하세요.

가방이 몇 개 있습니까? 1 개

① 모자가 몇 개 있습니까? 2 개

② 딸기가 몇 개 있습니까? 3 개

③ 별이 몇 개 있습니까? 5 개

④ 초콜릿이 몇 개 있습니까? 4 개

14 S1-9까지의 수 / 1주: 5까지 세기 15

P 16 ~ 17

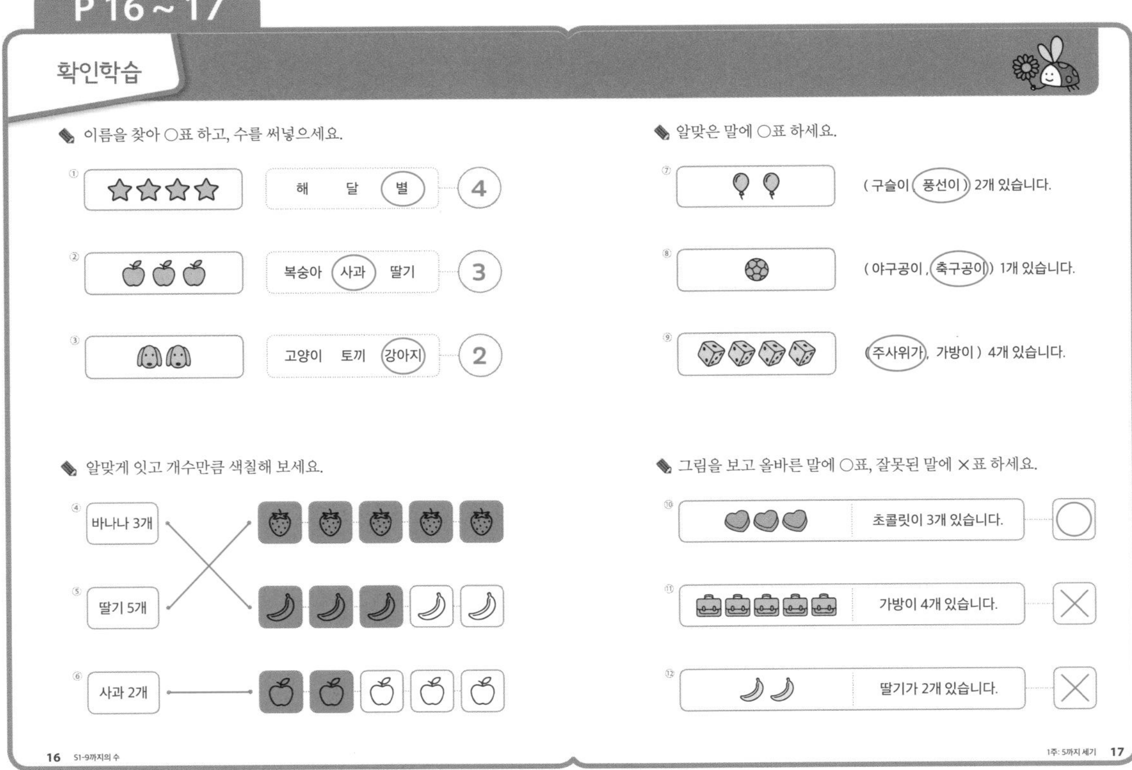

확인학습

이름을 찾아 ○표 하고, 수를 써넣으세요.

① 해 달 (별) — 4

② 복숭아 (사과) 딸기 — 3

③ 고양이 토끼 (강아지) — 2

알맞게 잇고 개수만큼 색칠해 보세요.

④ 바나나 3개

⑤ 딸기 5개

⑥ 사과 2개

알맞은 말에 ○표 하세요.

⑦ (구슬이 , (풍선이)) 2개 있습니다.

⑧ (야구공이 , (축구공이)) 1개 있습니다.

⑨ ((주사위가), 가방이) 4개 있습니다.

그림을 보고 올바른 말에 ○표, 잘못된 말에 ×표 하세요.

⑩ 초콜릿이 3개 있습니다. — ○

⑪ 가방이 4개 있습니다. — ×

⑫ 딸기가 2개 있습니다. — ×

16 S1-9까지의 수 / 1주: 5까지 세기 17

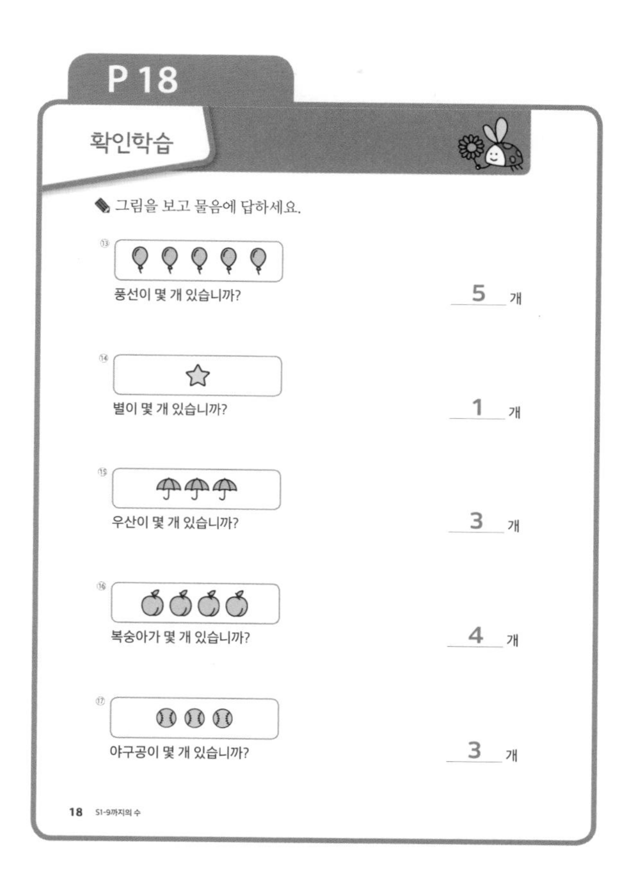

P 18

확인학습

그림을 보고 물음에 답하세요.

⑬ 풍선이 몇 개 있습니까? 5 개

⑭ 별이 몇 개 있습니까? 1 개

⑮ 우산이 몇 개 있습니까? 3 개

⑯ 복숭아가 몇 개 있습니까? 4 개

⑰ 야구공이 몇 개 있습니까? 3 개

18 S1-9까지의 수

P 20 ~ 21

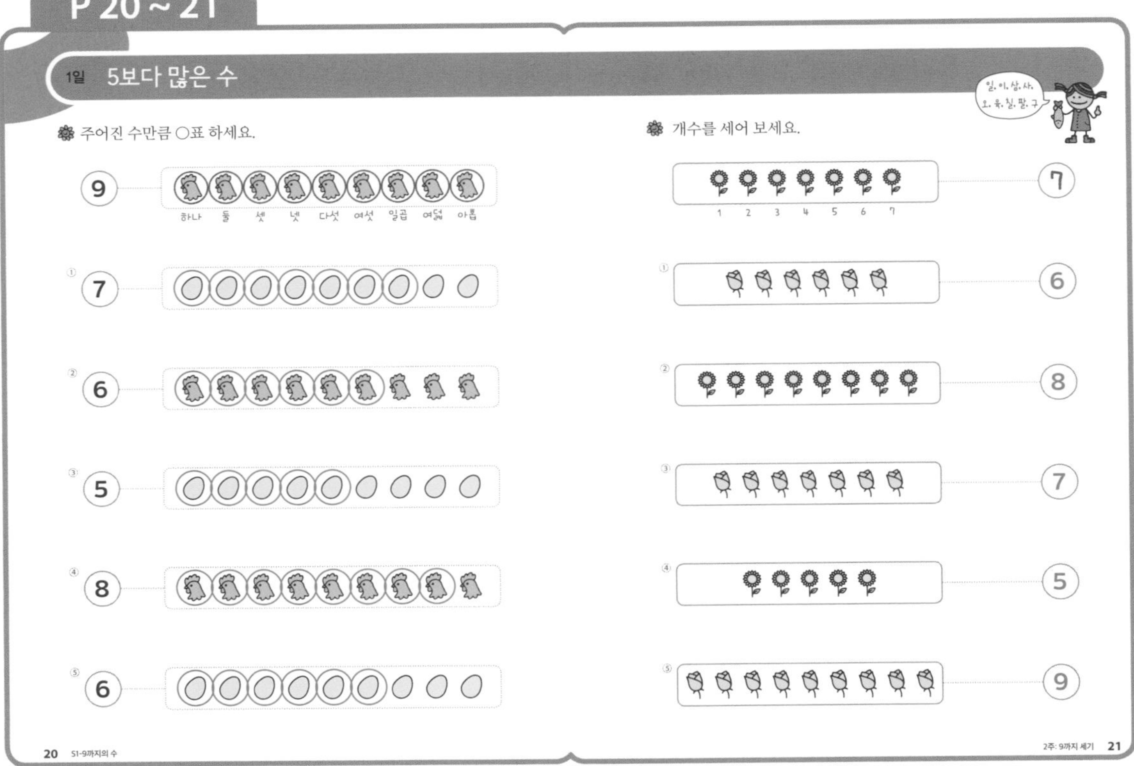
1일 5보다 많은 수

주어진 수만큼 ○표 하세요.

9 하나 둘 셋 넷 다섯 여섯 일곱 여덟 아홉

① 7

② 6

③ 5

④ 8

⑤ 6

개수를 세어 보세요.

1 2 3 4 5 6 7 — 7

① 6

② 8

③ 7

④ 5

⑤ 9

20 S1-9까지의 수

2주: 9까지 세기 21

P 22 ~ 23

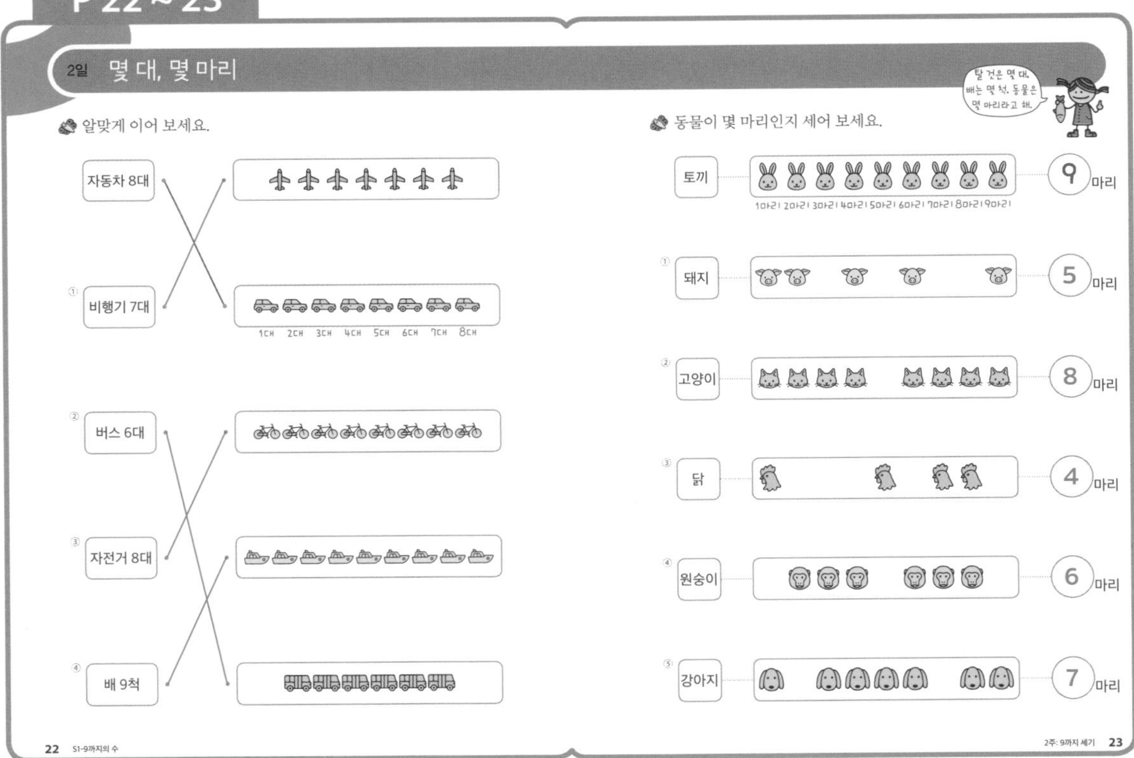
2일 몇 대, 몇 마리

알맞게 이어 보세요.

자동차 8대

① 비행기 7대

1대 2대 3대 4대 5대 6대 7대 8대

② 버스 6대

③ 자전거 8대

④ 배 9척

동물이 몇 마리인지 세어 보세요.

토끼 — 9 마리

1마리 2마리 3마리 4마리 5마리 6마리 7마리 8마리 9마리

① 돼지 — 5 마리

② 고양이 — 8 마리

③ 닭 — 4 마리

④ 원숭이 — 6 마리

⑤ 강아지 — 7 마리

22 S1-9까지의 수

2주: 9까지 세기 23

P 24 ~ 25

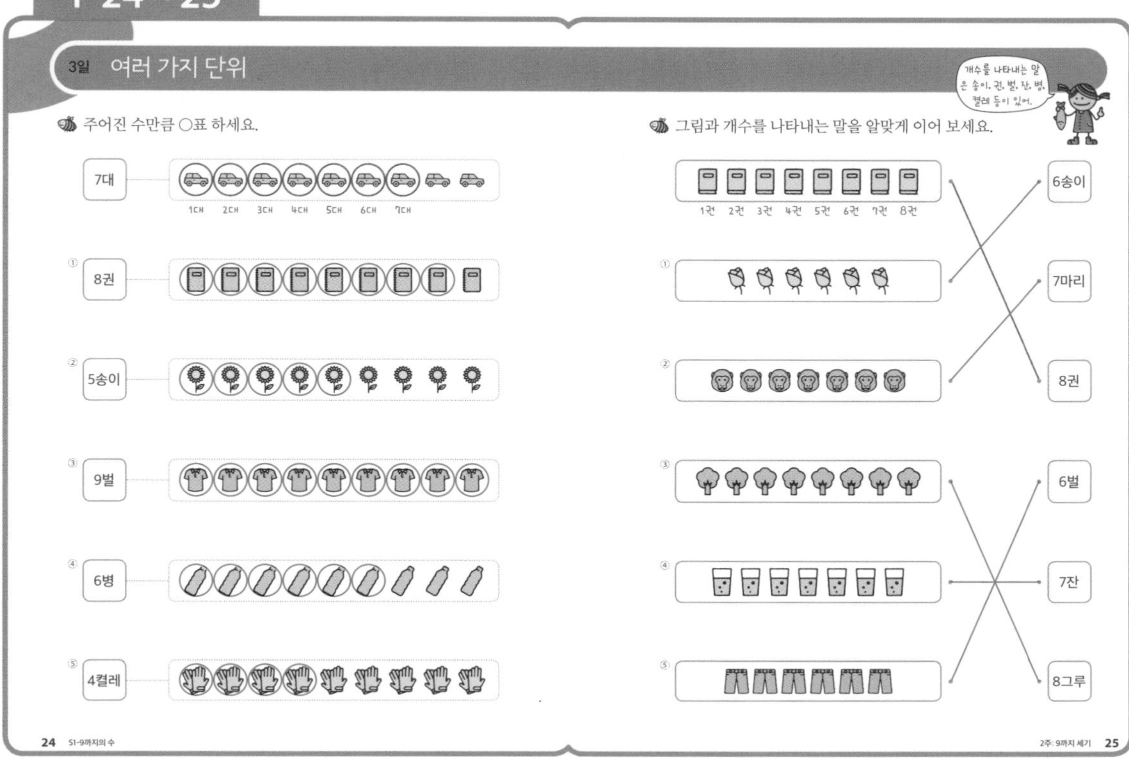
3일 여러 가지 단위
개수를 나타내는 말은 송이, 권, 벌, 잔, 병, 켤레 등이 있어.
주어진 수만큼 ○표 하세요.
7대
1대 2대 3대 4대 5대 6대 7대
① 8권
② 5송이
③ 9벌
④ 6병
⑤ 4켤레
그림과 개수를 나타내는 말을 알맞게 이어 보세요.
1권 2권 3권 4권 5권 6권 7권 8권
6송이
7마리
8권
6벌
7잔
8그루
24 S1-9까지의 수
2주: 9까지 세기 25

P 26 ~ 27

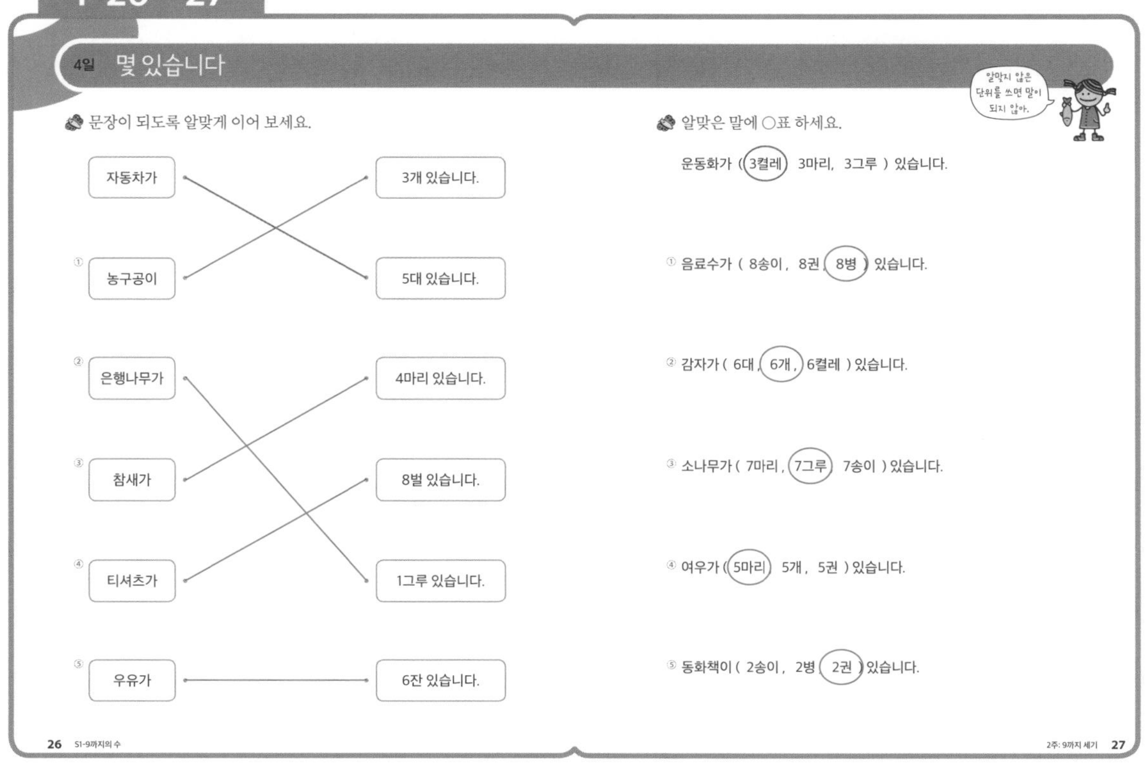
4일 몇 있습니다
알맞지 않은 단위를 쓰면 말이 되지 않아.
문장이 되도록 알맞게 이어 보세요.
자동차가
① 농구공이
② 은행나무가
③ 참새가
④ 티셔츠가
⑤ 우유가
3개 있습니다.
5대 있습니다.
4마리 있습니다.
8벌 있습니다.
1그루 있습니다.
6잔 있습니다.
알맞은 말에 ○표 하세요.
운동화가 (3켤레 3마리, 3그루) 있습니다.
① 음료수가 (8송이, 8권, 8병) 있습니다.
② 감자가 (6대, 6개, 6켤레) 있습니다.
③ 소나무가 (7마리, 7그루 7송이) 있습니다.
④ 여우가 (5마리 5개, 5권) 있습니다.
⑤ 동화책이 (2송이, 2병 2권) 있습니다.
26 S1-9까지의 수
2주: 9까지 세기 27

P 28 ~ 29

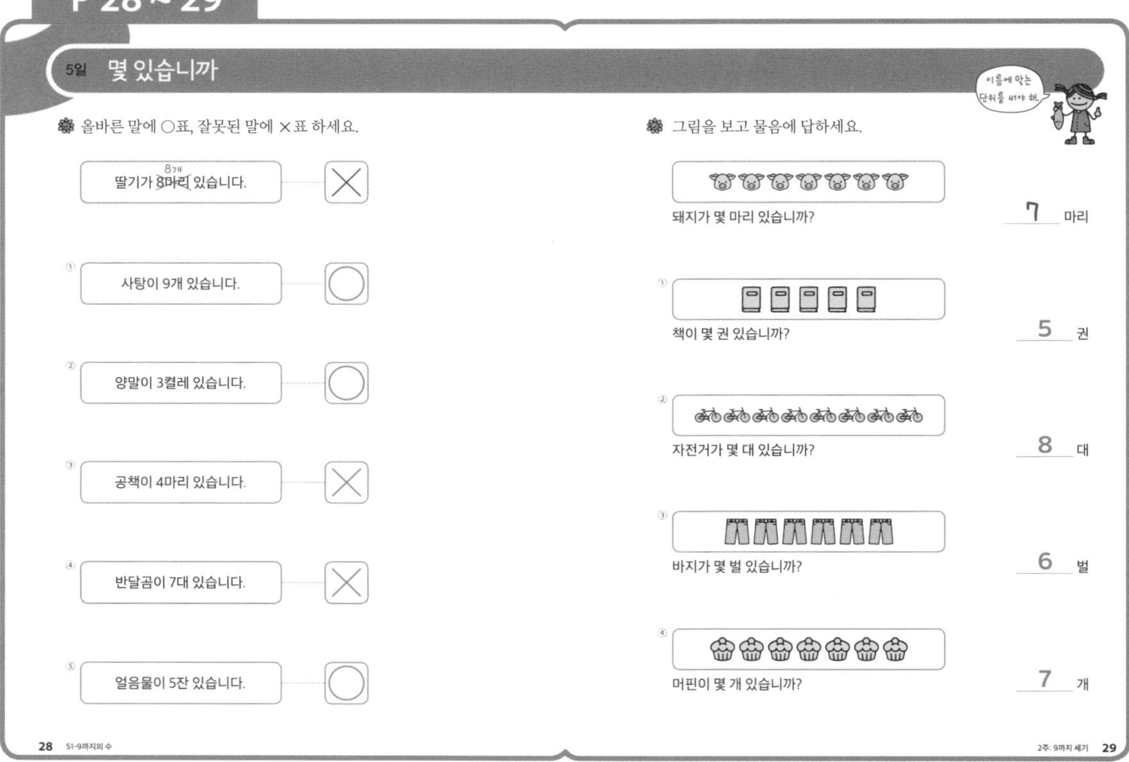

5일 몇 있습니까

올바른 말에 ○표, 잘못된 말에 ×표 하세요.

딸기가 8마리 있습니다. (8개)	×
① 사탕이 9개 있습니다.	○
② 양말이 3켤레 있습니다.	○
③ 공책이 4마리 있습니다.	×
④ 반달곰이 7대 있습니다.	×
⑤ 얼음물이 5잔 있습니다.	○

그림을 보고 물음에 답하세요.

돼지가 몇 마리 있습니까? 7 마리

① 책이 몇 권 있습니까? 5 권

② 자전거가 몇 대 있습니까? 8 대

③ 바지가 몇 벌 있습니까? 6 벌

④ 머핀이 몇 개 있습니까? 7 개

28 S1-9까지의 수 　 2주: 9까지 세기 29

P 30 ~ 31

확인학습

주어진 수만큼 ○표 하세요.

① 6척

② 8그루

③ 5벌

알맞은 말에 ○표 하세요.

⑦ 햄스터가 ((5마리), 5잔, 5그루) 있습니다.

⑧ 장미가 (7권, (7송이), 7켤레) 있습니다.

⑨ 자전거가 (2마리, (2대), 2벌) 있습니다.

문장이 되도록 알맞게 이어 보세요.

④ 물이 — 4잔 있습니다.

⑤ 복숭아가 — 6개 있습니다.

⑥ 토끼가 — 9마리 있습니다.

올바른 말에 ○표, 잘못된 말에 ×표 하세요.

⑩ 강아지가 2권 있습니다.	×
⑪ 우유가 8대 있습니다.	×
⑫ 참나무가 5그루 있습니다.	○

30 S1-9까지의 수 　 2주: 9까지 세기 31

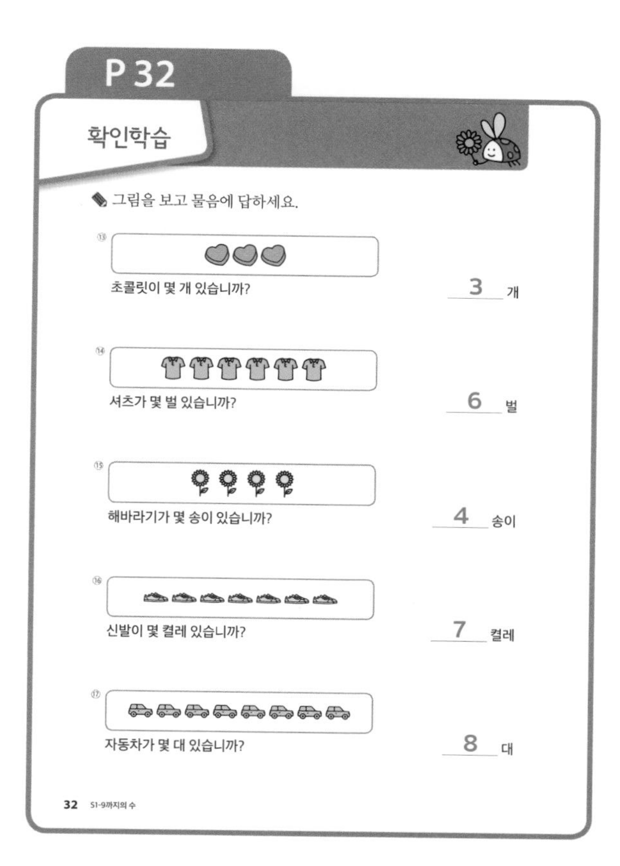

P 32

확인학습

✎ 그림을 보고 물음에 답하세요.

⑬ 초콜릿이 몇 개 있습니까? 3 개

⑭ 셔츠가 몇 벌 있습니까? 6 벌

⑮ 해바라기가 몇 송이 있습니까? 4 송이

⑯ 신발이 몇 켤레 있습니까? 7 켤레

⑰ 자동차가 몇 대 있습니까? 8 대

32 5. 1-9까지의 수

3주 개수 비교

P 34 ~ 35

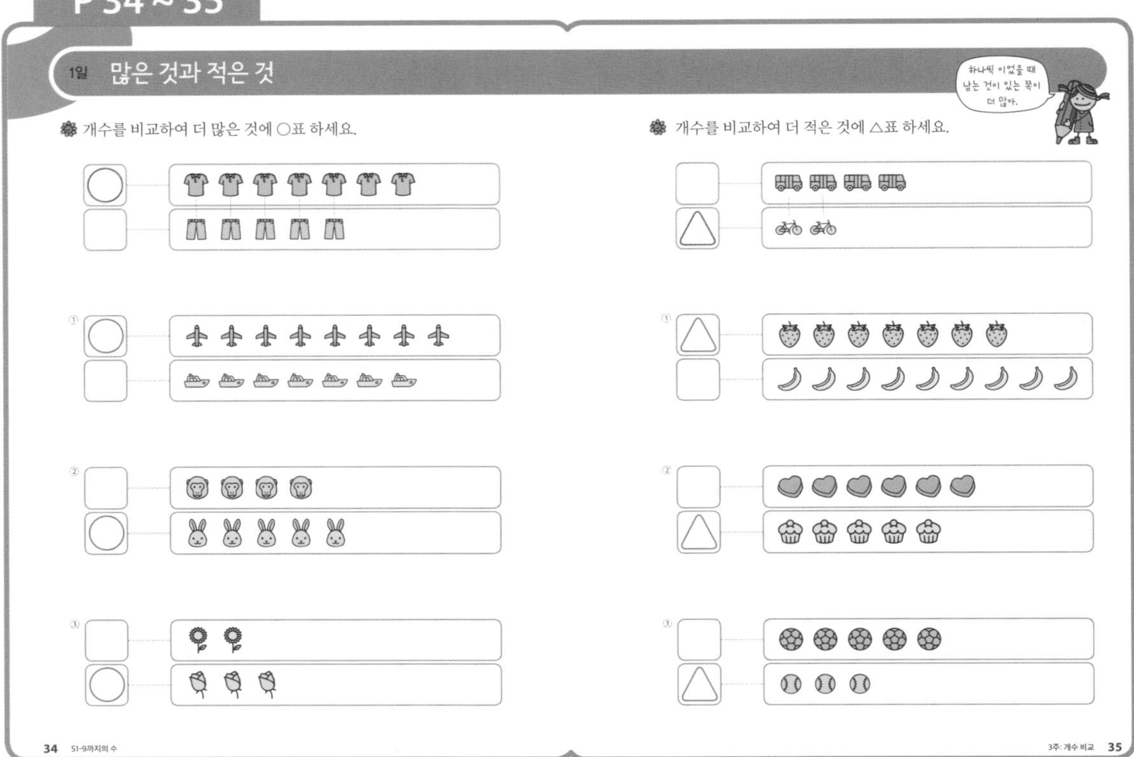

1일 많은 것과 적은 것
하나씩 이었을 때 남는 것이 있는 쪽이 더 많아.
개수를 비교하여 더 많은 것에 ○표 하세요.
개수를 비교하여 더 적은 것에 △표 하세요.
34 S1-9까지의 수
3주: 개수 비교 35

P 36 ~ 37

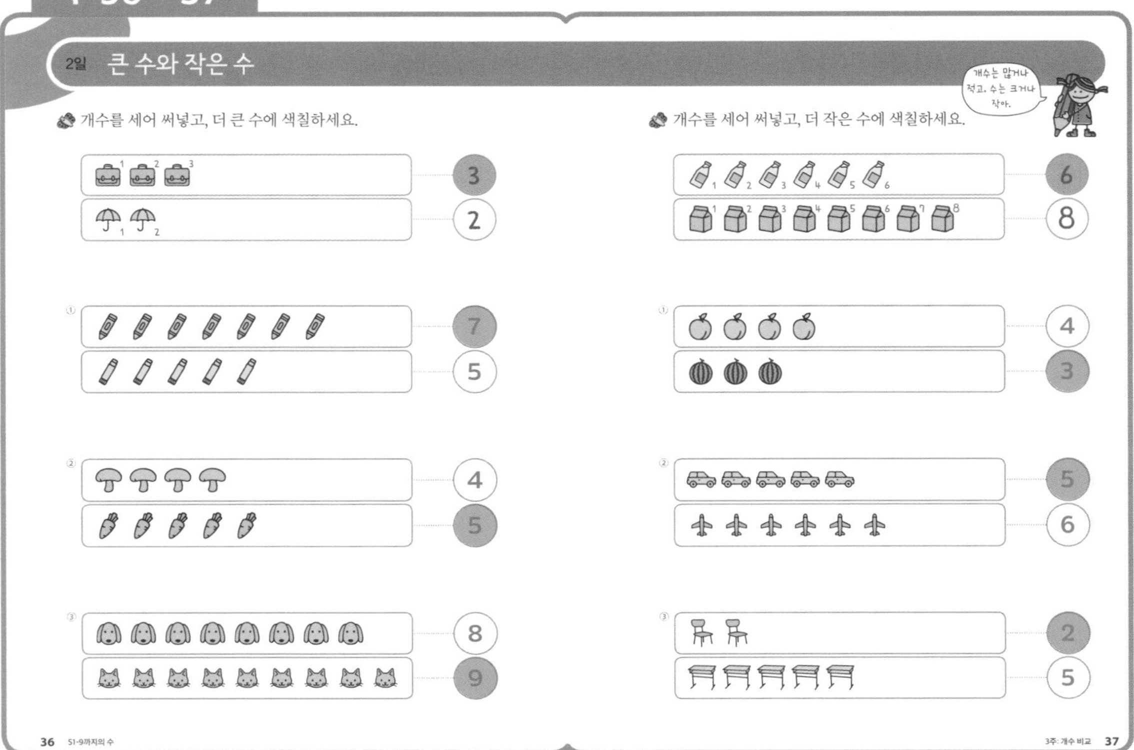

P 38 ~ 39

3일 수의 크기 비교

알맞은 말에 ○표 하세요.

5는 3보다 더 (**큽니다**, 작습니다).

① 7은 6보다 더 (**큽니다**, 작습니다).

② 4는 9보다 더 (큽니다, **작습니다**).

③ 2는 3보다 더 (큽니다, **작습니다**).

④ 8은 6보다 더 (**큽니다**, 작습니다).

⑤ 1은 2보다 더 (큽니다, **작습니다**).

수는 1, 2, 3, 4, 5, 6, 7, 8, 9의 순서로 점점 커지지.

왼쪽의 두 수를 밑줄친 곳에 알맞게 써넣으세요.

1 2 — 2 는 1 보다 더 큽니다.

① 5 8 — 5 는 8 보다 더 작습니다.

② 4 3 — 4 는 3 보다 더 큽니다.

③ 9 7 — 7 은 9 보다 더 작습니다.

④ 2 4 — 4 는 2 보다 더 큽니다.

⑤ 6 5 — 5 는 6 보다 더 작습니다.

P 40 ~ 41

4일 많습니다, 적습니다

그림을 보고 알맞은 말에 ○표 하세요.

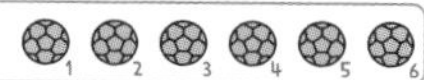

야구공은 축구공보다 더 (많습니다, **적습니다**).

①

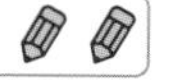

공책은 연필보다 더 (**많습니다**, 적습니다).

②

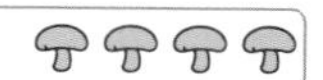

달걀은 버섯보다 더 (**많습니다**, 적습니다).

③

모자는 우산보다 더 (많습니다, **적습니다**).

개수를 세면 더 큰 수인 것이 더 많은 것이야.

그림을 보고 알맞은 말에 모두 ○표 하세요.

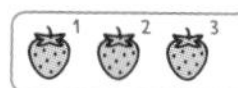

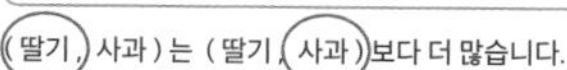

(**딸기**, 사과) 는 (딸기, **사과**) 보다 더 많습니다.

①

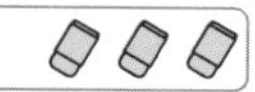

(주사위, **지우개**) 는 (**주사위**, 지우개) 보다 더 적습니다.

②

(원숭이, **토끼**) 는 (**원숭이**, 토끼) 보다 더 많습니다.

③

(**머핀**, 초콜릿) 은 (머핀, **초콜릿**) 보다 더 적습니다.

P 42 ~ 43

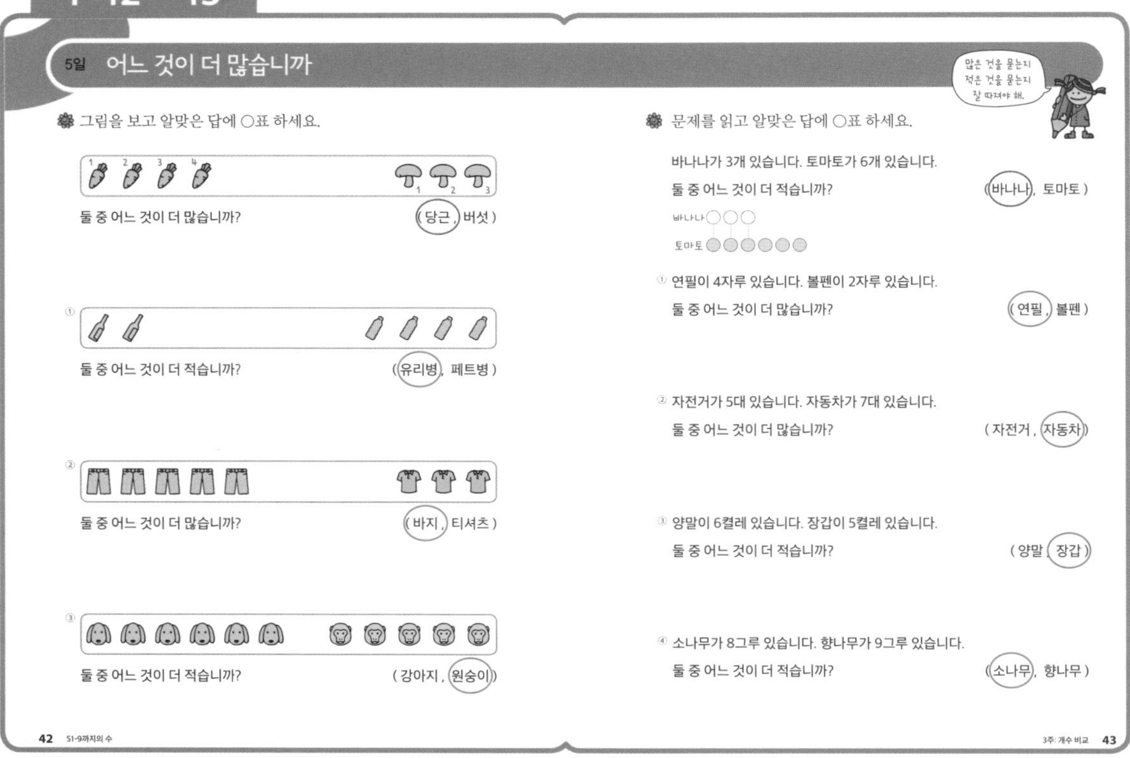

5일 어느 것이 더 많습니까

그림을 보고 알맞은 답에 ○표 하세요.

1 2 3 4 / 1 2 3

둘 중 어느 것이 더 많습니까? (당근 , 버섯)

①

둘 중 어느 것이 더 적습니까? (유리병 , 페트병)

②

둘 중 어느 것이 더 많습니까? (바지 , 티셔츠)

③

둘 중 어느 것이 더 적습니까? (강아지 , 원숭이)

문제를 읽고 알맞은 답에 ○표 하세요.

바나나가 3개 있습니다. 토마토가 6개 있습니다.

둘 중 어느 것이 더 적습니까? (바나나 , 토마토)

바나나 ○○○

토마토 ●●●●●●

① 연필이 4자루 있습니다. 볼펜이 2자루 있습니다.

둘 중 어느 것이 더 많습니까? (연필 , 볼펜)

② 자전거가 5대 있습니다. 자동차가 7대 있습니다.

둘 중 어느 것이 더 많습니까? (자전거 , 자동차)

③ 양말이 6켤레 있습니다. 장갑이 5켤레 있습니다.

둘 중 어느 것이 더 적습니까? (양말 , 장갑)

④ 소나무가 8그루 있습니다. 향나무가 9그루 있습니다.

둘 중 어느 것이 더 적습니까? (소나무 , 향나무)

42 S1-9까지의 수 / 3주: 개수 비교 43

P 44 ~ 45

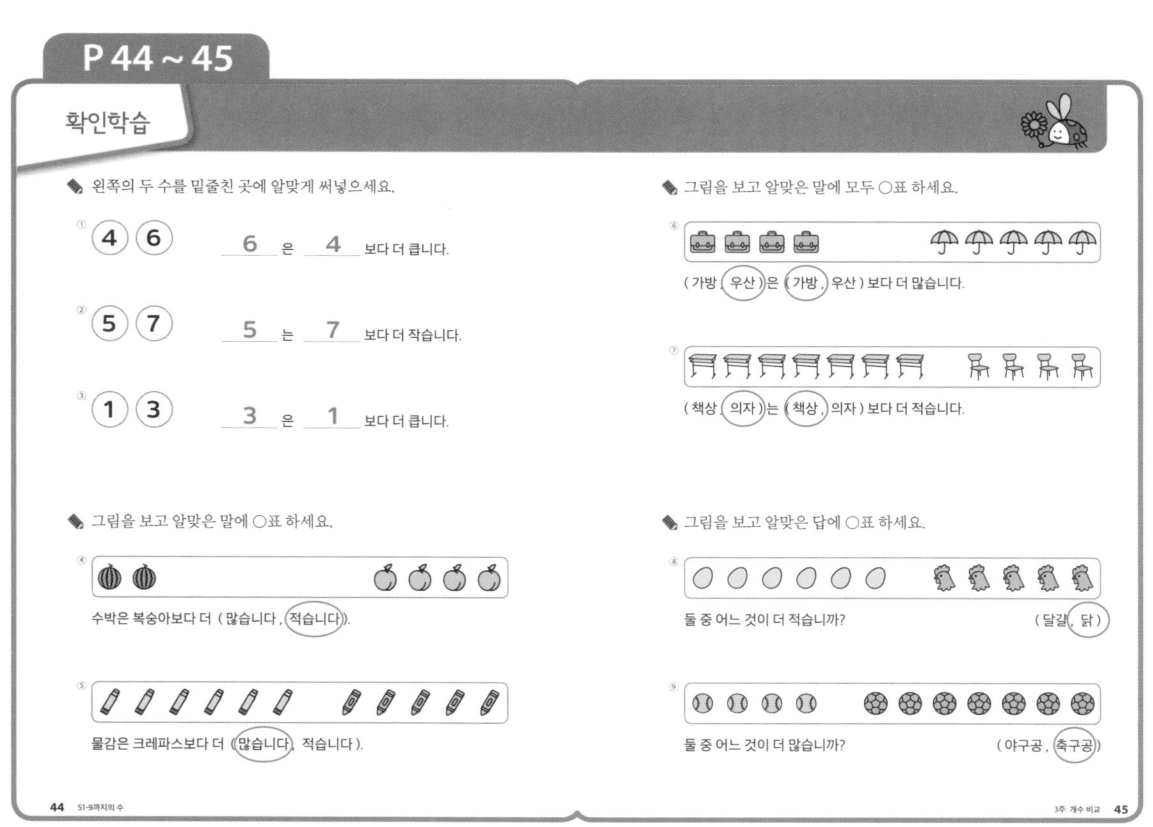

확인학습

왼쪽의 두 수를 밑줄친 곳에 알맞게 써넣으세요.

① 4 6 — 6 은 4 보다 더 큽니다.

② 5 7 — 5 는 7 보다 더 작습니다.

③ 1 3 — 3 은 1 보다 더 큽니다.

그림을 보고 알맞은 말에 ○표 하세요.

④ 수박은 복숭아보다 더 (많습니다 , 적습니다).

⑤ 물감은 크레파스보다 더 (많습니다 , 적습니다).

그림을 보고 알맞은 말에 모두 ○표 하세요.

⑥ (가방 , 우산)은 (가방 , 우산) 보다 더 많습니다.

⑦ (책상 , 의자)는 (책상 , 의자) 보다 더 적습니다.

그림을 보고 알맞은 답에 ○표 하세요.

⑧ 둘 중 어느 것이 더 적습니까? (달걀 , 닭)

⑨ 둘 중 어느 것이 더 많습니까? (야구공 , 축구공)

44 S1-9까지의 수 / 3주: 개수 비교 45

P 46

확인학습

문제를 읽고 알맞은 답에 ○표 하세요.

⑩ 코끼리가 1마리 있습니다. 코뿔소가 2마리 있습니다.
둘 중 어느 것이 더 많습니까? (코끼리 , 코뿔소)

⑪ 동화책이 4권 있습니다. 만화책이 7권 있습니다.
둘 중 어느 것이 더 적습니까? (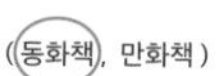 동화책, 만화책)

⑫ 단팥빵이 5개 있습니다. 사탕이 3개 있습니다.
둘 중 어느 것이 더 적습니까? (단팥빵 , 사탕)

⑬ 트럭이 9대 있습니다. 자전거가 7대 있습니다.
둘 중 어느 것이 더 많습니까? ( 트럭 , 자전거)

⑭ 장미가 6송이 있습니다. 튤립이 8송이 있습니다.
둘 중 어느 것이 더 적습니까? (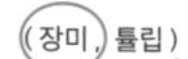 장미 , 튤립)

46 S1-9까지의 수

P 48 ~ 49

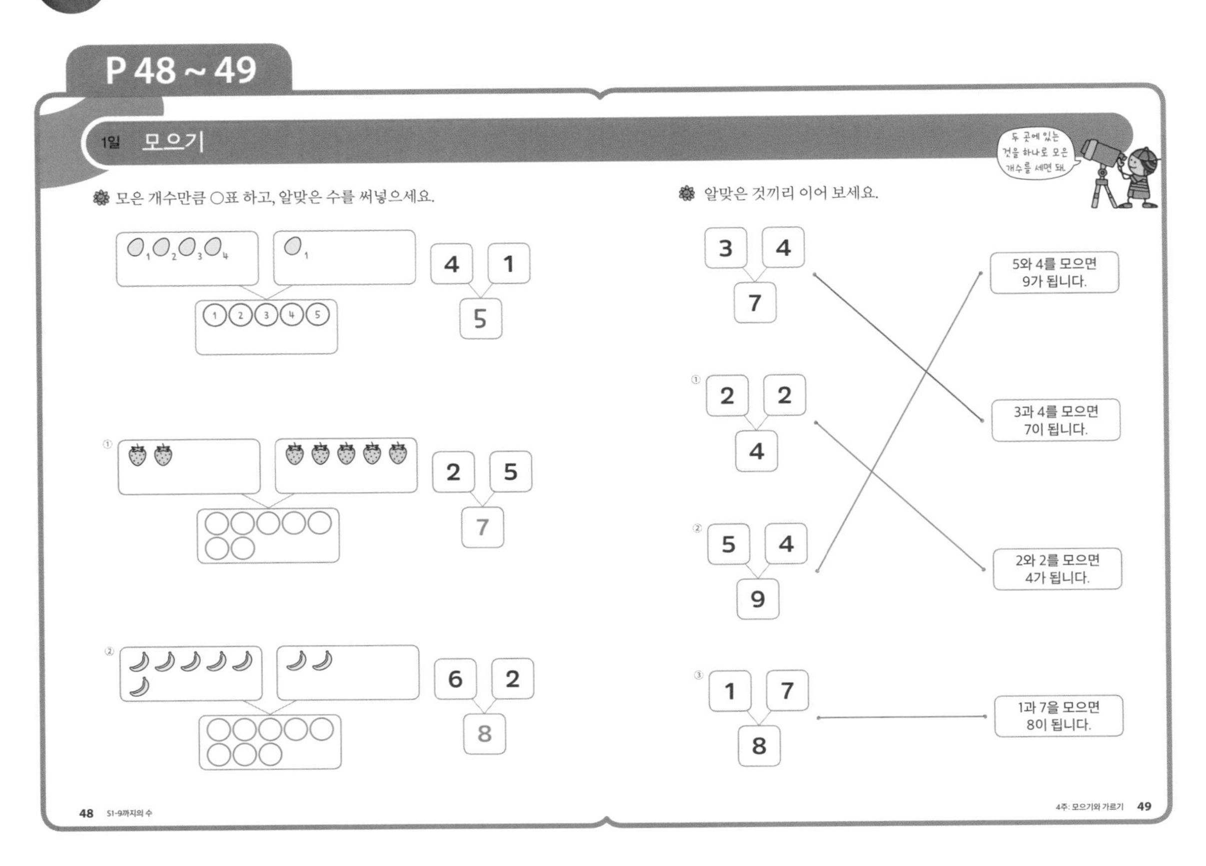
1일 모으기
모은 개수만큼 ○표 하고, 알맞은 수를 써넣으세요.
4
1
5
2
5
7
6
2
8
두 곳에 있는 것을 하나로 모은 개수를 세면 돼.
알맞은 것끼리 이어 보세요.
3
4
7
2
2
4
5
4
9
1
7
8
5와 4를 모으면 9가 됩니다.
3과 4를 모으면 7이 됩니다.
2와 2를 모으면 4가 됩니다.
1과 7을 모으면 8이 됩니다.
48 S1-9까지의 수
4주: 모으기와 가르기 49

P 50 ~ 51

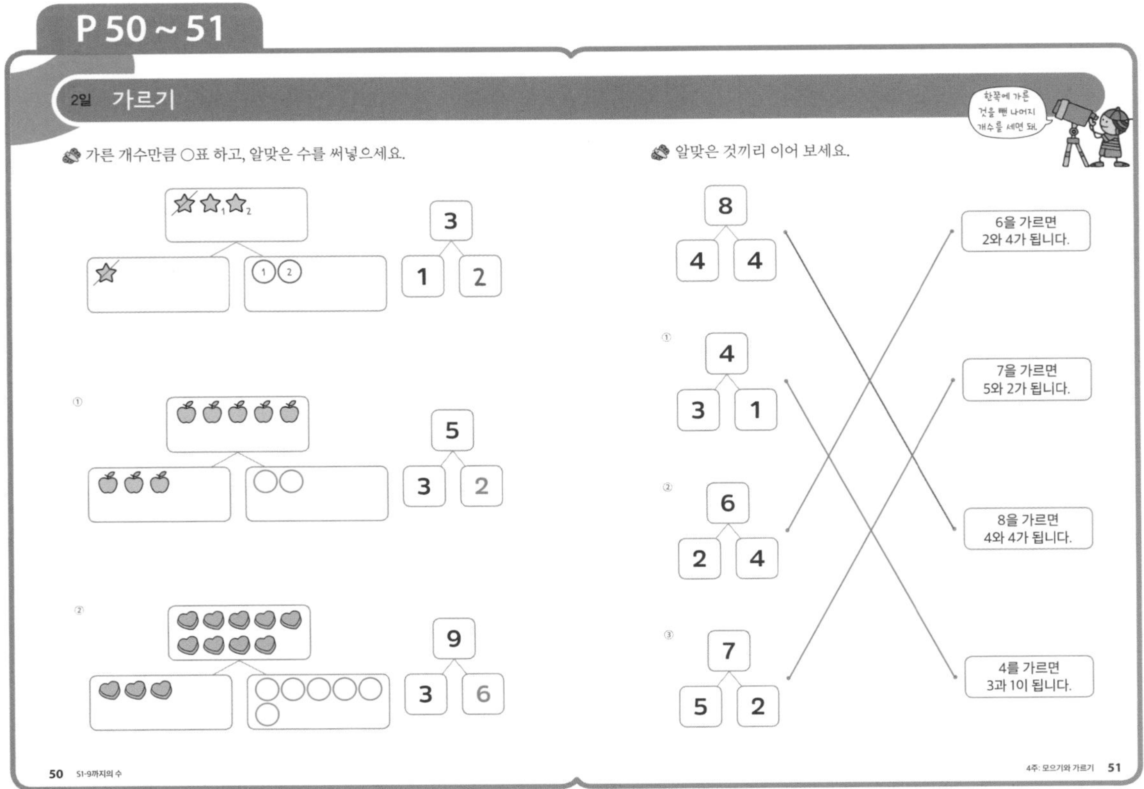
2일 가르기
가른 개수만큼 ○표 하고, 알맞은 수를 써넣으세요.
3
1
2
5
3
2
9
3
6
한쪽에 가른 것을 뺀 나머지 개수를 세면 돼.
알맞은 것끼리 이어 보세요.
8
4
4
4
3
1
6
2
4
7
5
2
6을 가르면 2와 4가 됩니다.
7을 가르면 5와 2가 됩니다.
8을 가르면 4와 4가 됩니다.
4를 가르면 3과 1이 됩니다.
50 S1-9까지의 수
4주: 모으기와 가르기 51

P 52 ~ 53

3일 모으기 문장, 가르기 문장

빈 곳과 밑줄친 곳에 알맞은 수를 써넣으세요.

1, 3 → 4

한 접시에 복숭아를 1개 놓습니다.
다른 접시에 복숭아를 3개 놓습니다.
복숭아는 모두 4 개입니다.

① 5, 1 → 6

한 접시에 당근을 5개 놓습니다.
다른 접시에 당근을 1개 놓습니다.
당근은 모두 6 개입니다.

② 6, 2 → 8

한 접시에 별사탕을 6개 놓습니다.
다른 접시에 별사탕을 2개 놓습니다.
별사탕은 모두 8 개입니다.

두 모둠을 하나로 모으기, 모여 있는 것을 두 모둠으로 가르기!

빈 곳과 밑줄친 곳에 알맞은 수를 써넣으세요.

6 → 5, 1

사과는 모두 6개입니다.
한 접시에 사과를 5개 놓습니다.
다른 접시에 사과를 1 개 놓습니다.

① 7 → 3, 4

머핀은 모두 7개입니다.
한 접시에 머핀을 3개 놓습니다.
다른 접시에 머핀을 4 개 놓습니다.

② 9 → 7, 2

버섯은 모두 9개입니다.
한 접시에 버섯을 7개 놓습니다.
다른 접시에 버섯을 2 개 놓습니다.

52 S1-9까지의 수 / 4주: 모으기와 가르기 53

P 54 ~ 55

4일 모두 몇 개입니까

모은 수를 써넣고 물음에 답하세요.

2, 5 → 7

모은 딸기는 모두 몇 개입니까? 7 개

① 3, 3 → 6

모은 크래커는 모두 몇 개입니까? 6 개

② 6, 1 → 7

모은 당근은 모두 몇 개입니까? 7 개

③ 5, 3 → 8

모은 별사탕은 모두 몇 개입니까? 8 개

모은 개수를 물을 때는 '모두 몇 개?' 라고 물어야 돼.

문제를 읽고 물음에 답하세요.

한 접시에 바나나를 3개 놓습니다. 다른 접시에 바나나를 1개 놓습니다.
바나나는 모두 몇 개입니까? 4 개

3, 1 → 4

① 한 접시에 쿠키를 5개 놓습니다. 다른 접시에 쿠키를 1개 놓습니다.
쿠키는 모두 몇 개입니까? 6 개

② 한 접시에 땅콩을 2개 놓습니다. 다른 접시에 땅콩을 7개 놓습니다.
땅콩은 모두 몇 개입니까? 9 개

③ 한 접시에 버섯을 1개 놓습니다. 다른 접시에 버섯을 4개 놓습니다.
버섯은 모두 몇 개입니까? 5 개

54 S1-9까지의 수 / 4주: 모으기와 가르기 55

모으기와 가르기

P 56 ~ 57

5일 남은 것은 몇 개입니까

모여 있는 것 중 몇 개를 한 쪽에 가르고 남은 것의 개수는?

가르고 남은 수를 써넣고 물음에 답하세요.

4 → 3, 1 남은 초콜릿은 몇 개입니까? 1 개

① 8 → 6, 2 남은 버섯은 몇 개입니까? 2 개

② 9 → 3, 6 남은 레몬은 몇 개입니까? 6 개

③ 3 → 1, 2 남은 호빵은 몇 개입니까? 2 개

문제를 읽고 물음에 답하세요.

사과가 모두 5개입니다. 접시에 사과를 2개 놓습니다.
남은 사과는 몇 개입니까? 3 개

5 → 2, 3

① 어묵이 모두 6개입니다. 접시에 어묵을 4개 놓습니다.
남은 어묵은 몇 개입니까? 2 개

② 감자가 모두 4개입니다. 접시에 감자를 3개 놓습니다.
남은 감자는 몇 개입니까? 1 개

③ 단팥빵이 모두 8개입니다. 접시에 단팥빵을 1개 놓습니다.
남은 단팥빵은 몇 개입니까? 7 개

56 S1-9까지의 수 4주: 모으기와 가르기 57

P 58 ~ 59

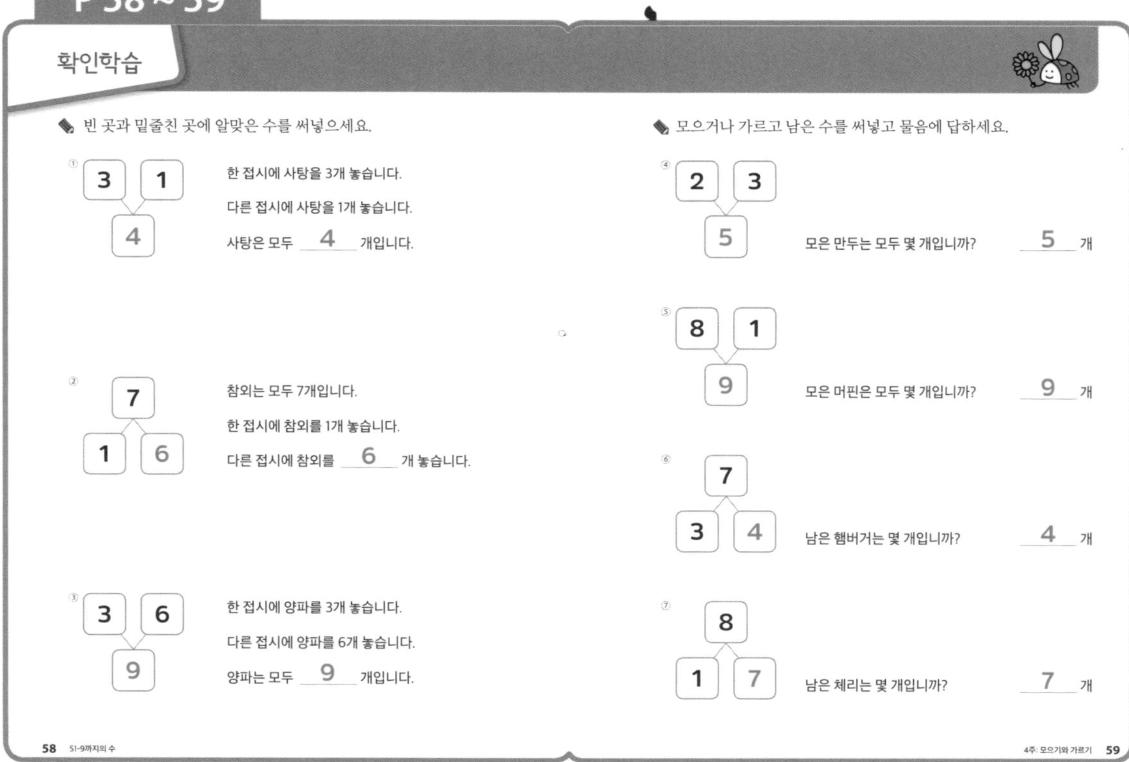

확인학습

빈 곳과 밑줄친 곳에 알맞은 수를 써넣으세요.

① 3, 1 → 4
한 접시에 사탕을 3개 놓습니다.
다른 접시에 사탕을 1개 놓습니다.
사탕은 모두 4 개입니다.

② 7 → 1, 6
참외는 모두 7개입니다.
한 접시에 참외를 1개 놓습니다.
다른 접시에 참외를 6 개 놓습니다.

③ 3, 6 → 9
한 접시에 양파를 3개 놓습니다.
다른 접시에 양파를 6개 놓습니다.
양파는 모두 9 개입니다.

모으거나 가르고 남은 수를 써넣고 물음에 답하세요.

④ 2, 3 → 5 모은 만두는 모두 몇 개입니까? 5 개

⑤ 8, 1 → 9 모은 머핀은 모두 몇 개입니까? 9 개

⑥ 7 → 3, 4 남은 햄버거는 몇 개입니까? 4 개

⑦ 8 → 1, 7 남은 체리는 몇 개입니까? 7 개

58 S1-9까지의 수 4주: 모으기와 가르기 59

P 60

확인학습

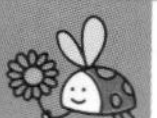

문제를 읽고 물음에 답하세요.

⑧ 한 접시에 토마토를 2개 놓습니다. 다른 접시에 토마토를 2개 놓습니다.
토마토는 모두 몇 개입니까? 4 개

⑨ 한 접시에 당근을 4개 놓습니다. 다른 접시에 당근을 5개 놓습니다.
당근은 모두 몇 개입니까? 9 개

⑩ 초콜릿이 모두 3개입니다. 접시에 초콜릿을 1개 놓습니다.
남은 초콜릿은 몇 개입니까? 2 개

⑪ 호두가 모두 6개입니다. 접시에 호두를 3개 놓습니다.
남은 호두는 몇 개입니까? 3 개

60 S1-9까지의 수

P62 ~ 63

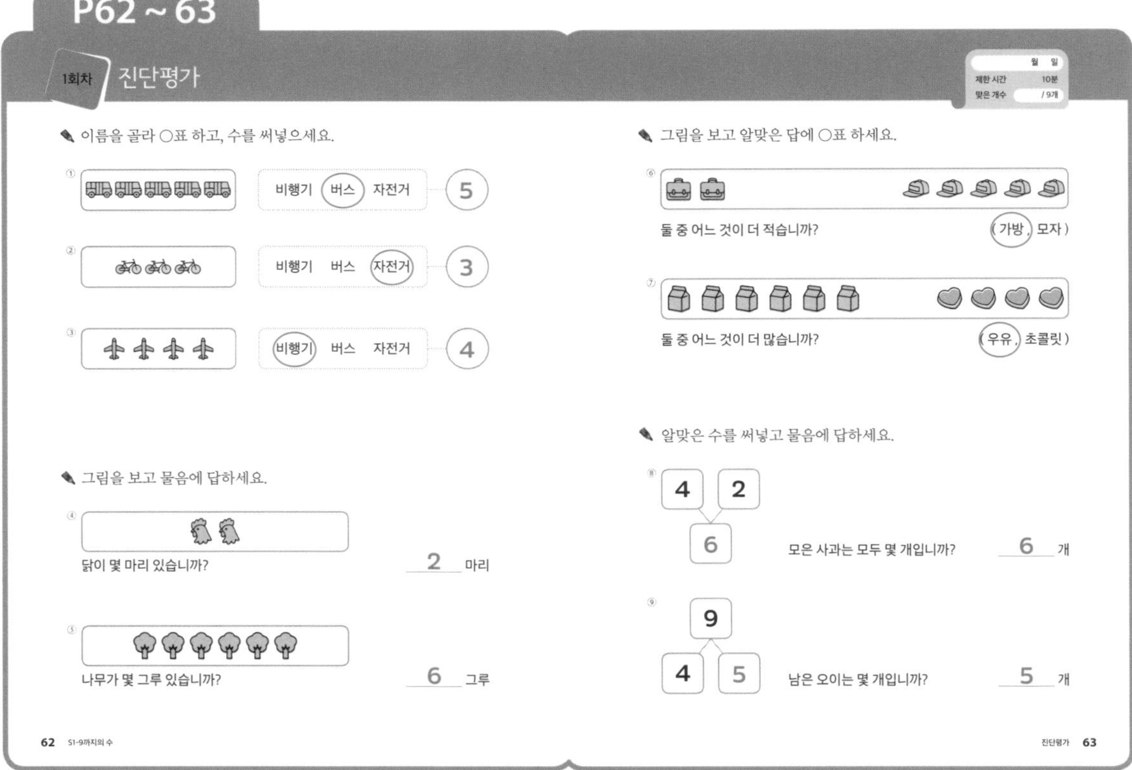

1회차 진단평가

월 일
제한 시간 10분
맞은 개수 /9개

✎ 이름을 골라 ○표 하고, 수를 써넣으세요.

① 비행기 (버스) 자전거 — 5

② 비행기 버스 (자전거) — 3

③ (비행기) 버스 자전거 — 4

✎ 그림을 보고 물음에 답하세요.

④ 닭이 몇 마리 있습니까? 2 마리

⑤ 나무가 몇 그루 있습니까? 6 그루

✎ 그림을 보고 알맞은 답에 ○표 하세요.

⑥ 둘 중 어느 것이 더 적습니까? ((가방), 모자)

⑦ 둘 중 어느 것이 더 많습니까? ((우유), 초콜릿)

✎ 알맞은 수를 써넣고 물음에 답하세요.

⑧ 4, 2 → 6
모은 사과는 모두 몇 개입니까? 6 개

⑨ 9 → 4, 5
남은 오이는 몇 개입니까? 5 개

62 S1-9까지의 수

진단평가 63

P 64 ~ 65

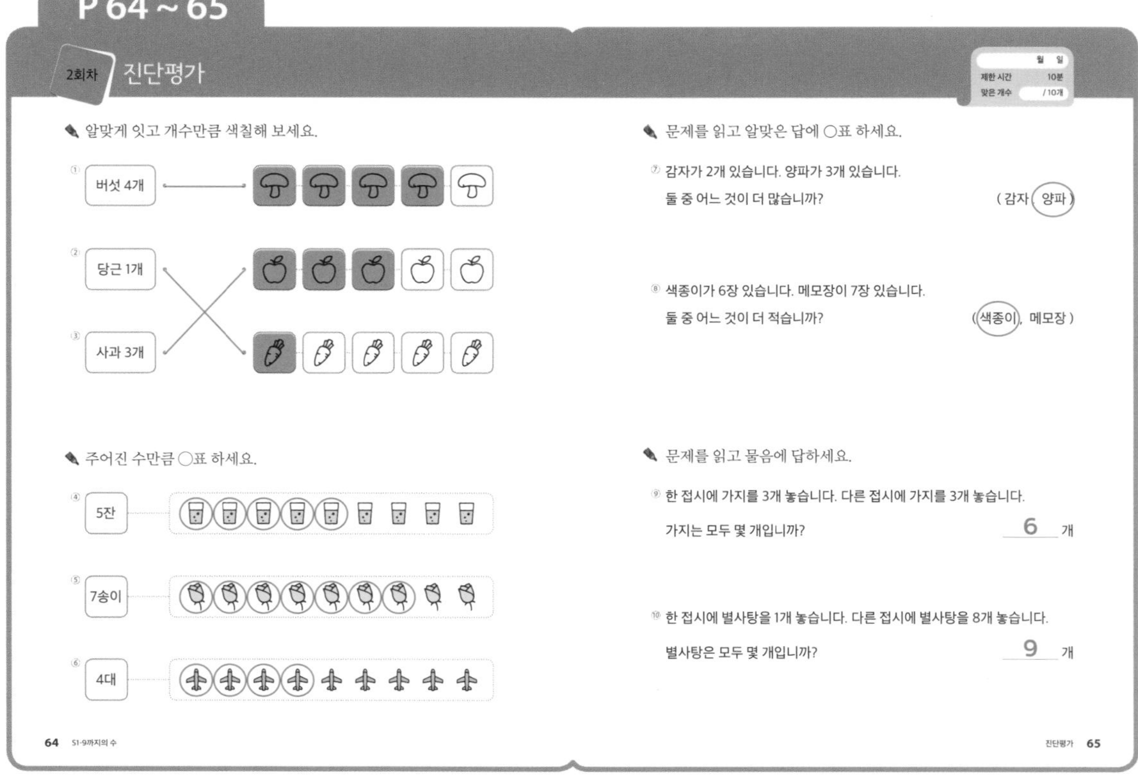

2회차 진단평가

월 일
제한 시간 10분
맞은 개수 /10개

✎ 알맞게 잇고 개수만큼 색칠해 보세요.

① 버섯 4개

② 당근 1개

③ 사과 3개

✎ 주어진 수만큼 ○표 하세요.

④ 5잔

⑤ 7송이

⑥ 4대

✎ 문제를 읽고 알맞은 답에 ○표 하세요.

⑦ 감자가 2개 있습니다. 양파가 3개 있습니다.
둘 중 어느 것이 더 많습니까? (감자, (양파))

⑧ 색종이가 6장 있습니다. 메모장이 7장 있습니다.
둘 중 어느 것이 더 적습니까? ((색종이), 메모장)

✎ 문제를 읽고 물음에 답하세요.

⑨ 한 접시에 가지를 3개 놓습니다. 다른 접시에 가지를 3개 놓습니다.
가지는 모두 몇 개입니까? 6 개

⑩ 한 접시에 별사탕을 1개 놓습니다. 다른 접시에 별사탕을 8개 놓습니다.
별사탕은 모두 몇 개입니까? 9 개

64 S1-9까지의 수

진단평가 65

P 66 ~ 67

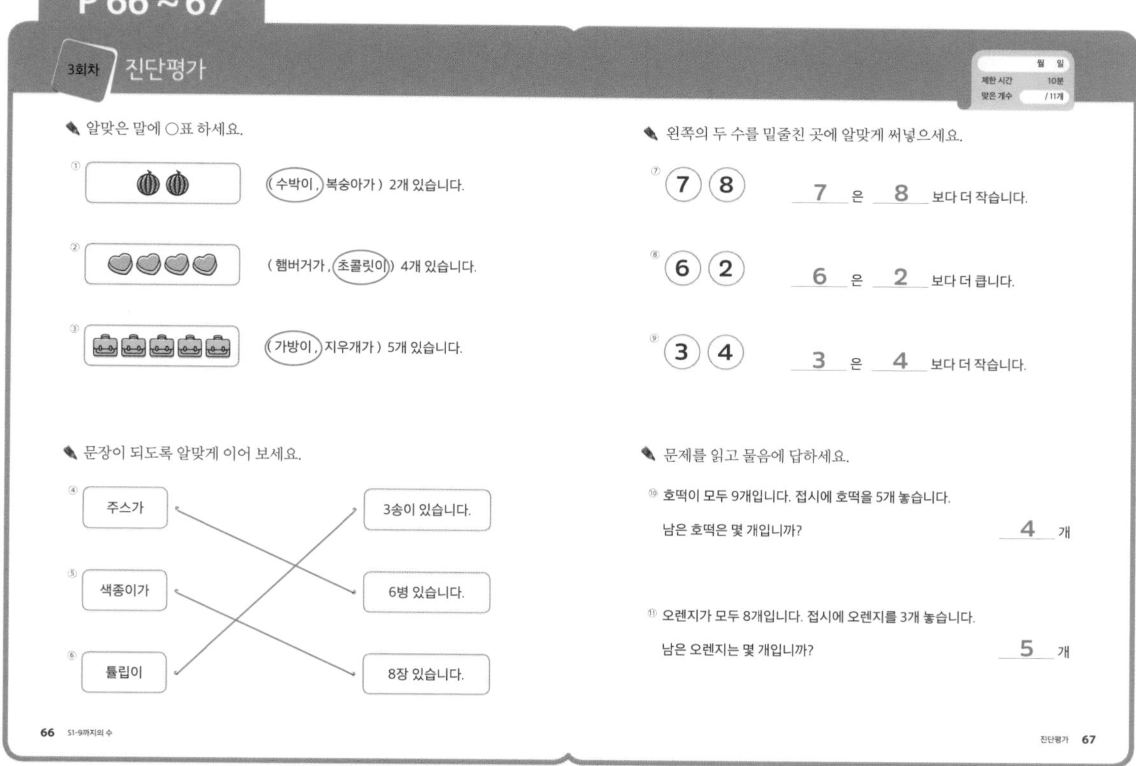
3회차 진단평가
제한 시간 10분
맞은 개수 /11개
알맞은 말에 ○표 하세요.
① (수박이, 복숭아가) 2개 있습니다.
② (햄버거가, 초콜릿이) 4개 있습니다.
③ (가방이, 지우개가) 5개 있습니다.
문장이 되도록 알맞게 이어 보세요.
④ 주스가
⑤ 색종이가
⑥ 튤립이
3송이 있습니다.
6병 있습니다.
8장 있습니다.
왼쪽의 두 수를 밑줄친 곳에 알맞게 써넣으세요.
⑦ 7 8 7 은 8 보다 더 작습니다.
⑧ 6 2 6 은 2 보다 더 큽니다.
⑨ 3 4 3 은 4 보다 더 작습니다.
문제를 읽고 물음에 답하세요.
⑩ 호떡이 모두 9개입니다. 접시에 호떡을 5개 놓습니다.
남은 호떡은 몇 개입니까? 4 개
⑪ 오렌지가 모두 8개입니다. 접시에 오렌지를 3개 놓습니다.
남은 오렌지는 몇 개입니까? 5 개
66 S1-9까지의 수
진단평가 67

P 68 ~ 69

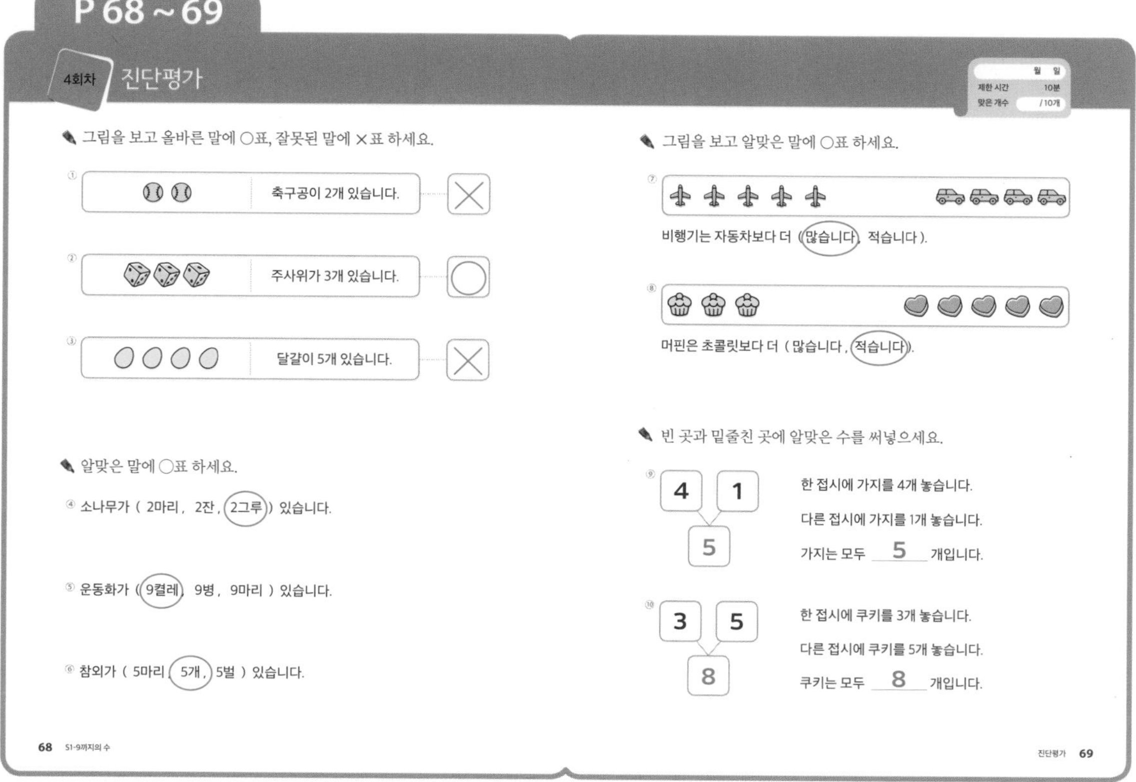
4회차 진단평가
제한 시간 10분
맞은 개수 /10개
그림을 보고 올바른 말에 ○표, 잘못된 말에 ×표 하세요.
① 축구공이 2개 있습니다.
② 주사위가 3개 있습니다.
③ 달걀이 5개 있습니다.
알맞은 말에 ○표 하세요.
④ 소나무가 (2마리, 2잔, 2그루) 있습니다.
⑤ 운동화가 (9켤레, 9병, 9마리) 있습니다.
⑥ 참외가 (5마리, 5개, 5벌) 있습니다.
그림을 보고 알맞은 말에 ○표 하세요.
⑦ 비행기는 자동차보다 더 (많습니다, 적습니다).
⑧ 머핀은 초콜릿보다 더 (많습니다, 적습니다).
빈 곳과 밑줄친 곳에 알맞은 수를 써넣으세요.
⑨ 4 1 5
한 접시에 가지를 4개 놓습니다.
다른 접시에 가지를 1개 놓습니다.
가지는 모두 5 개입니다.
⑩ 3 5 8
한 접시에 쿠키를 3개 놓습니다.
다른 접시에 쿠키를 5개 놓습니다.
쿠키는 모두 8 개입니다.
68 S1-9까지의 수
진단평가 69

P 70 ~ 71

5회차 진단평가

월 일
제한 시간 10분
맞은 개수 / 9개

✎ 그림을 보고 물음에 답하세요.

① 지우개가 몇 개 있습니까? 3 개

② 딸기가 몇 개 있습니까? 5 개

✎ 올바른 말에 ○표, 잘못된 말에 ×표 하세요.

③ 치마가 1벌 있습니다. ○

④ 강아지가 9그루 있습니다. ×

⑤ 색종이가 4잔 있습니다. ×

✎ 그림을 보고 알맞은 말에 모두 ○표 하세요.

⑥ (버스, 자전거)는 (버스, 자전거)보다 더 많습니다.

⑦ (튤립, 해바라기)은 (튤립, 해바라기)보다 더 적습니다.

✎ 빈 곳과 밑줄친 곳에 알맞은 수를 써넣으세요.

⑧ 2 / 1, 1
바나나는 모두 2개입니다.
한 접시에 바나나를 1개 놓습니다.
다른 접시에 바나나를 1 개 놓습니다.

⑨ 6 / 2, 4
달걀은 모두 6개입니다.
한 접시에 달걀을 2개 놓습니다.
다른 접시에 달걀을 4 개 놓습니다.

70 S1-9까지의 수

진단평가 71

“

The essence of mathematics
is its freedom.

”

"수학의 본질은 그 자유로움에 있다."

Georg Cantor, 게오르크 칸토어